中国经济文库 · 应用经济学精品系列（二）

吴玉萍
赵青莉◎著
许梦琪

我国物流业绿色发展绩效与绿色创新能力研究

Research on Green Development Performance and Green Innovation Ability of Logistics

中国经济出版社
CHINA ECONOMIC PUBLISHING HOUSE
北京

图书在版编目（CIP）数据

我国物流业绿色发展绩效与绿色创新能力研究 / 吴玉萍，赵青莉，许梦琪著．-- 北京：中国经济出版社，2022. 8

ISBN 978 - 7 - 5136 - 6958 - 0

Ⅰ. ①我… Ⅱ. ①吴… ②赵… ③许… Ⅲ. ①物流管理 - 无污染技术 - 研究 - 中国 Ⅳ. ①F259. 22

中国版本图书馆 CIP 数据核字（2022）第 096499 号

责任编辑　张利影
责任印制　马小宾

出版发行　中国经济出版社
印 刷 者　北京艾普海德印刷有限公司
经 销 者　各地新华书店
开　　本　710mm × 1000mm　1/16
印　　张　11. 75
字　　数　170 千字
版　　次　2022 年 8 月第 1 版
印　　次　2022 年 8 月第 1 次
定　　价　82. 00 元
广告经营许可证　京西工商广字第 8179 号

中国经济出版社 **网址** www. economyph. com **社址** 北京市东城区安定门外大街 58 号 **邮编** 100011

本版图书如存在印装质量问题，请与本社销售中心联系调换（联系电话：010 - 57512564）

前言
Abstract

随着全球气候变暖，大气污染、水污染等问题日益凸显，人类不合理的一些经济活动与环境的矛盾严重威胁着社会的可持续发展。党的十八届五中全会提出了“创新、协调、绿色、开放、共享”的新发展理念。根据该理念要求，本书将“创新驱动”与“绿色发展”作为区域物流业提质增效、绿色转型的指导方法，以促进物流业高端化发展。

本书基于可持续发展理论、生态经济学理论等，从微观的企业绿色行为机制和宏观的行业绿色创新能力两个方面探究物流业的绿色发展策略。本书主要研究内容如下：①微观方面。对物流企业实施绿色物流的动机、行为及绩效进行实证分析。首先，通过查阅文献，对物流企业的绿色行为、动机及绩效进行变量设计，与部分当地具有代表性的物流企业及其内部管理者进行深度访谈。其次，确定影响物流企业实施绿色物流的动机因素、企业具体的绿色行为以及相关的绩效指标，在此基础上，构建全书的理论模型，提出相关假设。最后，设计发放问卷，回收数据，进行实证分析。本书根据问卷调查获得的数据，综合运用验证性因子分析、相关性分析、结构方程模型等分析方法展开研究，得到不同维度的物流企业行为对环境的影响程度，以及物流企业不同的绿色行为分别对企业绩效的影响程度，并验证相关假设。②宏观方面。首先，基于区域物流业绿色创新能力的构成要素和评判标准，从绿色创新资源环境、绿色创新投入能力和绿色创新产出能力3个方面选取指标，构建区域物流业绿色创新能力评价模型。其次，采用熵权TOPSIS法对2010—2019年我国31个省份的区域物流业绿色创新能力进行综合评价，从时间维度对区域物流业绿色创新能力的演变进行分析，并根据时间维度分析结果，利用 Arcgis 和 Geoda 软件从全局和局部两个角度对区域物流业绿色创新能力的空间分异特征进行空间计量分析，从而探索区域物流业绿色创新能力的分布特征。再次，建立空间计量经济模型，剖析区域物流业绿色创新能力形成的影响因素。最后，针对上述分析结果从优化资源配置等方面提出提高我国区域物流业绿色创新能力的对策建议。

本书通过实证分析，得出的主要结论有：①外部监督要求与绿色行为中“绿色包装”“绿色运输”呈显著正相关关系，提升竞争力与绿色行为中的“绿色包装”“内部绿色管理”呈显著正相关关系。②绿色包装与绿色运输对物流企业的经济和环境绩效均有显著的正向影响，而内部绿色管理只对企业的环境绩效有显著的正向影响。③环境绩效对经济绩效有显著正向影响。④政府的环境管制能力对物流企业的部分绿色行为与企业绩效的影响关系起着正向调节作用。⑤通过分析区域物流业绿色创新能力的构成要素和判断标准，从区域物流业绿色创新支撑能力、区域物流业绿色创新投入能力和区域物流业绿色创新产出能力 3 个维度构建区域物流业绿色创新能力指标体系，能够客观、全面地反映区域物流业绿色创新能力的特征。⑥综合分析结果可知，区域物流业的贴近度在 2010—2019 年呈现上升趋势，这说明区域物流业绿色创新能力持续提高。⑦根据时间维度分析结果，从全国整体角度来看，2019 年区域物流业绿色创新能力的综合指数值比 2010 年提高了 4.84%。从基础设施、宏观环境、物流环境、人力投入、财力投入、经济效益、环境效益和创新成果八大要素的贡献度占比来看，对区域物流业绿色创新能力具有较大推动作用的是基础设施和财力投入，推动作用较小的是环境效益和创新成果，这说明我国物流业绿色创新能力仍然处于较低的水平。人力投入在投入产出维度中占比最低，区域物流业绿色创新能力的提高需要更有创新能力的人才队伍，人才投入的数量和水平不足影响了区域物流业绿色创新能力。从四大地区角度来看，西部地区物流业绿色创新能力的增速最大，然后依次是中部地区、东部地区、东北地区，中部、西部与东部物流业的绿色创新能力差距在逐步缩小，东北地区与东部地区的差距在逐渐增大。从基础设施、宏观环境、物流环境、人力投入、财力投入、经济效益和创新成果这七大要素来看，东部地区和西部地区得分较高，中部地区和东北地区得分较低；在环境效益上，东部地区排名比较靠后。从四大地区各要素的投入占比来看，东部地区的人力投入占比最高，中部地区和东北地区的基础设施占比最高，西部地区的环境效益占比最高。⑧由空间分异分析结果可知，本书运用 Arcgis 软件对综合评价指数进行绘图处理后发现，物流业绿色创新能力极强的省份大多数集中在东部沿海地区，强和较强的省份大多数集中在中部地区，并有向西部和东北地区发展的趋势；区域物流业绿色创新能力 Moran's I 统计值均值大于0.46，绘制折线图呈“M”状，这说明我国区域物流业绿色创新能力存在较强的空间正相关性。通过绘制 Moran 散点图和 LISA 集聚图，本书发现区域物流业出现明显的极化效应，存在高低不同的二元集聚结构，整体呈现东部沿海地区、中西部个别省份物流业绿色创新能力较强，且对周边省份发展具有一定的带动作用的趋势，这一结论和综合分析结果相互印证。⑨由模型回归结果可知，七大影响因素均通过了1%显著性水平检验，其中经济基础的影响系数为0.003318、政府支持的影响系数为0.000153、产业结构的影响系数为0.526923、行业聚集的影响系数为0.028757、对外开放的影响系数为0.022642、环境治理的影响系数为0.007398、创新人才的影响系数为0.004464，因此，物流业的产业结构、行业集聚、对外开放程度对区域物流业绿色创新能力的正向影响较大。

根据以上结论，本书提出促进物流企业积极实施绿色物流的对策和建议。

目录 Contents

总论篇

微观篇：物流企业行为与绩效

宏观篇：区域物流业绿色创新能力评价

总论篇

第1章　引言

1.1　研究背景

物流业是国民经济发展的动脉和基础产业，其发展程度是衡量一个国家现代化程度和综合国力的重要标志之一，在经济发展中具有重要的作用和地位。随着经济的快速发展，资源浪费和环境污染等问题日益突出，例如，雾霾严重、淡水资源危机等。在物流作业中，运输车辆空驶率高、重复运输、交错运输、无效运输等不合理运输现象较为普遍，库存积压严重、仓储利用率低、包装过度使用和回收不当、物流信息化程度低等问题对环境产生了一定影响，消耗了大量的能源。因此，绿色发展成为影响物流企业发展的关键问题之一。

在我国，经济的快速增长促进了商品、服务和信息的加速流通，使得物流需求成倍增长。中国物流与采购联合会统计数据显示，2020 年，全国社会物流总额达 300. 1 万亿元，同比增长 3. 5%，社会物流总费用占 GDP 的 14. 7%。在经济快速发展的同时，有限的资源和环境污染问题逐渐引发全民的关注。天眼查专业版数据显示，2020 年，我国共成立超过 19. 6 万家快递物流相关企业，河南省共有 4. 6 万家快递物流相关企业，近 2 年快递物流相关企业的年增加数量均在 7000 家以上。2020 年，河南省新增约 8300 家快递物流相关企业，同比增长 13%。国家邮政局快递大数据平台监测数据显示，2021 年春节期间（2 月 11 日至 2 月 17 日），全国邮政快递业累计揽收和投递快递包裹 6. 6 亿件，同比增长 260%。

对于物流行业的绿色发展问题，自 20 世纪 90 年代以来，日本颁布了

《资源有效利用促进法》等法律，推动了日本绿色物流的发展；欧盟牵头制定了一系列法规，如《标准回收法》，严格规定各行业报废物品的回收方法，以此改善欧洲各国物流效率低下的状态；美国是较早大力发展绿色物流管理的国家之一，注重逆向物流，规定每年包装等物品的回收率不得低于 20%，并对回收量较高的企业给予奖励。在中国，绿色物流的实践越来越常态化。2017 年，"菜鸟"发布了"ACE"未来绿色智慧物流汽车计划，如循环快递箱可循环使用 20 次，且不会污染环境；2017 年，京东物流发起了环保行动"青流计划"，在全国范围推行使用绿色包装等举措，探索在物流多个环节进行节能降耗的方法；2018 年，顺丰启动"丰·BOX"计划，在全国投放了 38.40 万个包含 15 项专利技术的终端循环包装箱，同时打造百万台新型智慧物流汽车。第十九届中国国际运输与物流博览会暨 2019 年世界科技物流大会在杭州国际博览中心召开，会议提倡：应以"物流业可持续发展"为愿景，"绿色物流"为实施路径，"环境友好型社会"为最终目标，实现现代物流业高质量发展；积极面对物流业快速发展下的环保压力与危机；建立物流可持续发展的行业标准；等等。在 2019 年两会上，全国人大代表提出尽快制定循环包装国家标准，完善绿色包装回收体系，加快新能源城市物流车的推广应用。

中国作为"世界工厂"，生产加工大量工业产品销往世界各地，这就需要中国物流行业的强大支撑。中国作为发展中大国，虽然物流产业的绿色创新能力不断提高，但相比美国、日本等发达国家仍有不足，物流行业面临的绿色管理问题依旧很严峻，如物流企业实施绿色发展的动力不足、物流产业绿色创新能力发展失衡等。因此，在我国要实现碳达峰、碳中和"3060"目标的背景下，探究物流企业实现绿色发展的相关问题具有重要意义。

1.2 研究意义

1.2.1 理论意义

日益严峻的环境管制促使物流企业将环境管理纳入企业运营管理过程，在实际运营中，企业的做法不尽相同，其体现的绩效也不尽相同。综观国内外研究成果，绿色物流的研究不计其数，本书利用实证分析的方法，从微观企业层面和宏观行业层面探究我国物流业的绿色发展问题。

在微观层面，本书剖析物流企业绿色行为的驱动机理、绿色行为方式与绩效的关系。本书从物流企业实施绿色行为的内外动机和方式等角度出发，利用相关性构建结构方程模型，研究不同激励动机下的企业绿色行为的实施状况，为物流企业绿色行为与绩效影响关系的相关研究提供借鉴。此外，本书在剖析物流企业绿色行为对绩效影响的同时，探讨了环境管制能力对其调节作用，丰富了物流企业绿色行为的相关研究。

在宏观层面，本书致力于物流业整体绿色创新能力提升的研究。对于物流行业而言，如何利用创新驱动绿色发展是促进企业绿色发展的关键，这也是当前学术界研究的热点。在已有的物流行业研究中，单独关注物流行业创新发展或绿色发展的研究较多，全面系统考察其绿色创新能力的研究有待进一步补充和完善。因此，本书以空间分异为研究框架，通过将物流产业和绿色创新能力相结合，并加入期望产出和非期望产出，建立绿色创新能力评价指标体系，将空间因素纳入绿色创新能力研究，分析区域物流业绿色创新能力的差异及影响因素，丰富和拓展了现有物流业绿色发展的研究视角和研究方法。

1.2.2　现实意义

当前，我国经济由高速增长阶段转向高质量发展阶段，“惟创新者进，惟创新者强，惟创新者胜”。物流业作为国民经济发展的动脉与基础产业，应积极践行绿色发展观，为实现我国 2030 年碳排放达峰主动采取行动、应对挑战，实现由大到强的转变，提升我国物流业国际竞争力，成为物流业当前要解决的关键问题之一。

本书立足于上述现实问题，从微观层面探析物流企业绿色生产的动机、行为和绩效，提出具有针对性的引导企业开展绿色生产行为的策略，这对于促进物流企业绿色发展、减少我国碳排放、实现自主减排目标具有积极的实践意义。同时，本书运用空间计量方法对我国 31 个省份的物流业绿色创新能力进行研究，为解决区域物流产业绿色创新能力不均衡提供参考依据，这既为促进我国物流业向绿色高端、高增值方向发展提供依据，又对培育我国物流业竞争优势、规划和完善我国绿色创新政策具有积极的现实意义。

1.3 研究目的

（1）本书从微观层面提出物流企业绿色行为驱动机制，并通过实证分析探索物流企业绿色行为动机及动机与绩效的相互作用机制，提出促进物流企业采取绿色行为的对策建议。

（2）本书从宏观层面构建区域物流业绿色创新能力评价指标体系，对2010—2019年我国31个省份区域物流业绿色创新能力的动态演化进行定量评估，揭示区域物流业绿色创新能力在时间空间维度上的分异特征，并在此基础上探究各影响因素对区域物流业绿色创新能力的影响程度，据此对提升我国区域物流业绿色创新能力提出对策建议。

1.4 研究内容与方法

1.4.1 研究内容

根据上述研究目的，本书共分为3篇、10章，其中总论篇包括第1、2章，微观篇包括第3、4、5、6章，宏观篇包括第7、8、9、10章。各篇章的主要研究内容如下。

第1章为引言。本部分介绍了本书的研究背景、研究意义和研究目的，并在此基础上提出了本书所采用的研究方法，总结了本书的研究内容和创新点。

第2章为相关理论研究综述，对绿色物流、可持续发展理论、生态经济学、循环经济学、产业绿色化等相关理论进行综述。

第3章为物流企业绿色发展的驱动机理，主要从微观层面介绍。从物流企业绿色发展的内外机制入手，分析其对绿色物流企业发展的战略意义；采用计量方法和问卷调查法对物流企业的绿色行为、动机以及绩效进行分析研究并提出具有针对性的应对策略。

第4章为物流企业绿色行为、动机及绩效的理论模型与假设，提出物流企业绿色动机、行为和绩效的概念模型；对动机、行为以及绩效进行变量设计，根据专家访谈及企业调研状况提出本书的关系模型和研究假设。

第5章为物流企业绿色行为与绩效关系的实证分析。根据第4章提出的关系模型设计合理有效的调查问卷，并对问卷进行发放和回收，同时使用SPSS24.0和AMOS20.0统计软件对回收的数据进行信度、效度分析；对物流企业绿色行为、动机与绩效的关系进行相关性分析；运用AMOS20.0软件构建三者关系的结构方程模型，并对其进行路径分析；对调节变量物流企业环境管制进行层次回归分析。

第6章为物流企业发展的策略应对，分别从物流行业、企业、政府以及个人四个方面对绿色物流发展提出相关政策建议。

第7章为区域物流业绿色创新能力评价模型构建。在相关理论分析的基础上，分析区域物流业绿色创新能力的构成要素和评判标准，从而得出评价指标体系的评价要素；分析评价指标构建的原则，在此基础上构建区域物流业绿色创新能力评价指标，通过熵权TOPSIS法对评价指标体系进行模型构建。

第8章为区域物流业绿色创新能力评价实证分析。通过熵权TOPSIS法确定评价指标体系的权重、评价综合指数得分，根据该得分对区域物流业创新能力进行排名；在时间维度上对我国31个省份区域物流业绿色创新能力的动态演化进行定量评估，并比较四大地区的发展差异；利用空间计量分析法，构建地理特征空间权重矩阵，分别运用Arcgis和Matlab软件作图并测算Moran's I统计量，绘制Moran散点图和LISA集聚图；从全局和整体层面揭示我国区域物流业绿色创新能力在空间维度上的分异特征。

第9章为区域物流业绿色创新能力影响因素研究。在对我国区域物流业绿色创新能力影响因素进行理论分析的基础上，提出具体的影响因素；利用已收集的指标数据选取空间滞后模型进行空间计量分析，探究各影响因素对我国区域物流业绿色创新能力的影响程度。

第10章为区域物流业绿色创新能力提升对策建议，结合理论分析与实证分析结果，总结我国区域物流业绿色创新能力变化特征、发展现状和凸显问题，并给出针对性的对策建议，旨在提升我国区域物流业绿色创新能力。

1.4.2 研究方法

本书主要采用了以下研究方法。

（1）文献分析法。本书通过梳理国内外有关绿色物流发展和创新的概念与内涵，以及循环经济学、可持续发展等方面的理论、文献，归纳当前国内外研究已取得的成果、存在的不足，进而确定本书的研究方向和研究重点，为本书奠定文献基础。

（2）相关性分析。相关性分析是研究两个及两个以上同等级的随机变量相关关系的统计分析方法。本书对物流企业绿色动机与行为、行为与绩效之间进行简单相关性分析，得出其相关关系以及影响程度。

（3）结构方程分析。结构方程模型（Structural Equation Modeling，SEM）是一种应用广泛的多元线性统计模型构建方法，其重点分析潜在变量的线性关系、检验变量的相关关系。结构方程模型应用广泛，渗透各领域，包括医学、社会学等。事实上，它是计量经济学、计量社会学与计量心理学等领域的统计分析方法的综合，它允许存在变量误差，所以广泛应用于社会科学中无法准确测量的各种指标。

（4）层次回归分析。层次回归分析（Hierarchical Multiple Regression，HMR）是一种广泛应用于管理领域的分析方法。本书拟对各物流企业所处区域的环境管制能力进行调节回归分析，即层次回归分析，以检验环境管制能力对各企业绿色物流行为的影响绩效是否存在调节作用，并探究其作用机制。

（5）系统分析法。系统分析法以研究对象的整体性为着眼点，探讨系统内部各子系统及各要素相互作用的机理，客观考察绿色物流企业发展的机制。本书通过构建合理的指标体系，收集《中国统计年鉴》及各省份的官方网站信息，获取2010—2019年的相应要素的具体数据，对物流绿色创新涉及的要素进行综合分析，全方位揭示绿色物流创新发展关系及空间演变特征。

（6）熵权法。熵权法是一种用于确定指标权重的方法，其主要通过各个指标包含信息的变异程度来确定指标权重：指标的信息熵越小，表示该指标的变异程度越大，能够获取的信息量也就越丰富，所以权重就越大；反之则权重越小。该方法规避了主观因素影响，测度的指标权重客观性更强、可信度更高，得出的结论同时具备可比性、可分析性。因此，本书采用熵权法来确定区域物流业绿色创新能力评价指标体系中各项指标的权重，为后续评价提供依据。

（7）TOPSIS 法。该方法由 C. L. Hwang 和 K. Yoon 于 1981 年首次提出，TOPSIS 法根据有限个评价对象与理想化目标的接近程度进行排序，对现有的对象进行相对优劣势的评价。它是一种接近理想解的排序法，只要求各效用函数具有单调递增（或递减）性。另外，该评价方法不仅对样本数据没有特殊要求，而且可以充分利用数据，具有简单、应用范围广的特点。

（8）空间计量分析法。空间计量分析法将空间数据分析和计量经济模型有效结合起来，在区域经济学、经济地理学、社会学、人口学、统计学等领域得到广泛应用，是学术界较为认可的研究空间分布特征的计量工具。因此，本书利用空间计量分析法探究我国区域竞争力在空间维度上的分异规律。

1.5 研究的创新点

（1）研究视角的创新。本书在微观层面对物流企业绿色物流行为与绩效关系进行深入研究，在宏观层面对我国区域物流业绿色创新能力进行理论分析和实证探究，以及将微观层面和宏观层面结合，对物流业绿色创新发展进行系统、全面、深入的研究。

（2）研究内容的创新。一方面，对于微观物流企业来说，绿色成为物流行业的主题，相继有一些关于物流及供应链绿色行为和激励动机对绿色行为的影响方面的研究成果问世，但从微观的角度对末端物流企业绿色物流行为与绩效进行研究的却很少；同时，将物流企业所处地区的环境管制能力作为调节变量进一步分析行为对绩效影响机制的研究有待进一步深入。因此，本书通过实地调研和问卷调查，从微观的角度探讨具体物流企业绿色行为的激励动机及其对企业绩效的影响，尝试探讨及验证将地区环境管制能力作为调节变量，在物流企业绿色行为对绩效的影响过程中是否起调节作用，其作用机制如何，以便在研究内容上有所创新。另一方面，对于宏观物流行业来说，现有文献更多地侧重讨论企业的绿色创新能力，很少关注区域绿色创新能力的理论及实证分析，为此，本书从区域物流业这一研究对象出发，对我国区域物流业绿色创新能力进行理论和实证研究，进一步丰富了绿色创新能力理论体系。

（3）实证研究方法的创新。在微观分析方面，针对物流企业“激励动机—绿色行为”及“绿色行为—企业绩效”的相互关系，本书引入结构方程模型，创新性地针对物流企业绿色行为与绩效的关系建立路径图和结构方程，通过分析最终得出激励动机、绿色行为和企业绩效三者的定量关系。因此，得出的评价结果更为客观，更符合绿色物流的实际情况。在宏观分析方面，现有文献大多选取截面数据对绿色创新能力进行实证分析，鲜有从时间维度对绿色创新能力进行动态评估的，而对区域物流业绿色创新能力空间分异的研究则更少。本书通过熵权 TOPSIS 法和空间计量分析方法，分别从时间和空间维度对我国 31 个省份的区域物流业绿色创新能力进行实证研究，以揭示我国不同时期物流业的阶段性特征和空间分异特征。

第2章　相关理论研究综述

2.1　相关概念

2.1.1　绿色物流的概念

20世纪90年代中期，物流领域的环境问题逐渐受到学术界的重视，Murphy等（1996）在专刊中提到，循环包装是物流绿色化的一种好方式。至此，“绿色物流”这一新概念才被明确提出。国外学者也把绿色物流称为生态物流、环境物流等，国内学者则统称之为绿色物流。

随后，逐渐有学者开始对绿色物流的具体概念及内涵展开深入研究。H. J. Wu和S. Dunn（1995）认为，绿色物流是对环境负责的物流系统。我国2001年出版的《物流术语》定义：绿色物流（Green Logistics）是指在物流过程中抑制其对环境造成的危害，实现对物流环境的净化，同时提高物流资源利用率。也有学者认为，绿色物流是一种新型的管理模式。例如，谢泗薪和王文峰（2010）提出，绿色物流主要是利用转变管理理念与创新技术对物流的运作过程进行合理规划，从而达到提高资源利用率和保护环境的目的。

综上所述，国内外还没有对绿色物流形成一个统一的概念，但专家学者对其核心思想的理解大致相同，即所谓绿色物流，就是指在物流过程中抑制物流活动对资源环境造成危害的同时，净化物流运营及管理活动，使物流资源得到有效利用，以降低企业运营成本。

2.1.2　绿色创新的定义和内涵

20世纪90年代中期，Fussler和James在《绿色创新：创新和可持续发展的突破体系》一书中提到“绿色创新”一词。戴鸿轶（2009）梳理了国内外学者对环境创新的研究后发现，与绿色相关的概念有绿色经济、绿色创新、绿色技术、绿色贸易、绿色供应链等，数量达20多个。他将这些概念作为题名、关键词和摘要在“Science Direct”和中国期刊网数据库进行搜索，发现“绿色技术创新”和“绿色创新使用”出现的频次最高。Schiederig等（2014）分析了绿色创新、生态创新、可持续创新和环境创新4个概念的异同，通过分析1990—2010年的文献，发现1990年前很少有学者对此进行相关研究；1990—1997年，研究大多集中于环境创新这一概念；2000—2005年，可持续发展创新成为研究热点；2005年后，绿色创新的概念受到学者越来越多的关注。Karakaya等（2005）使用Google Scholar数据库同样对这4个概念进行检索并分析其学术引用情况，提供了数据统计结果。环境创新和生态创新引起经济学、社会学和管理学等不同学科研究者的兴趣，他们将其运用在各个维度上。随着研究的推进，“绿色创新”“可持续创新”成为新的代名词，包含技术、组织实践和服务等更深层次的拓展和延伸。通过梳理这些文献可以发现，绿色创新这一论点值得深入探讨。

Beise和Rennings（1996）认为，环境创新是企业对过程、技术、实践、系统和产品的修改以避免或者减少对环境的危害。Lanjouw和Mody（2008）倾向于认为，绿色创新的关键在于绿色技术创新，他们通过比较美国、德国和日本的环境专利转化率，发现绿色技术的创新在某种程度上可以减少环境危害。Joseph Huber（1999）认为，通过科学的知识和先进的技术手段可以提高地球的承载力，实现社会生态现代化。Vicki（1999）强调，闭环工业社会的实现取决于产品和过程的技术创新。C. Freeman（1996）认为，世界经济转向可持续增长模式既是经济激励措施、体制变革，又是技术创新的问题。

在国内，绿色创新这个概念的提出始于20世纪90年代末期。学者认为，进行绿色技术创新和引进先进技术是企业解决环境问题的根本手段，具有长期潜在收益，有助于提高企业竞争力。吕燕（1994）将绿色技术创新作为21世纪企业发展的机遇与挑战。企业通过对绿色工艺、绿色产品和绿色能源的开发与使用，开启技术创新战略，有助于其及时把握社会经济发展方向。王伟强和盛敏之（1995）以节约原料、能源和减少生产过程中的污染为目标，发现技术创新并非传统意义上的创新，而是有利于改善环境的可靠性技术，作者将技术和环境保护结合起来，具有广阔的市场前景。随着研究的深入，张钢和张小军（2013）对可持续创新、生态创新、环境创新和绿色创新的定义进行梳理后发现，4 个概念并没有本质上的差别且关注的内容均属于环境保护的主题，在很多文献中可以替换使用。陈华斌（1999）将绿色创新定义为实现"环境—经济—社会"三方协调可持续发展的创造性活动，认为绿色创新可以是观念创新、技术创新、产品创新、模式创新等，他将绿色创新从技术创新延伸到政策、思想、制度、国际关系等方面，拓宽了绿色创新的研究领域。企业实施绿色创新一般考虑产品的生产和销售这两个环节，王正刚（2008）等提出了基于全生命周期的绿色创新模式，将企业绿色创新定义为，从产品的生产、销售直到失去使用价值后的处理，在产品的功能、耗能和排污之间寻找平衡点，贯穿产品的整个生命周期的创新。Chen 等将"绿色创新"定义为，与绿色产品或工艺相关的硬件或软件创新，包括节能、污染预防、废物回收、绿色产品设计或企业环境管理的技术创新，以提升环境管理绩效、满足环境保护的要求。企业不仅可以通过绿色创新来提高资源的利用率，还可以通过设计、开发绿色产品，获得更高的利润，改善企业形象。实行绿色创新的先锋企业可以获得先发优势，不仅可以规避环保人士的抗议或处罚，还有助于企业开拓新的市场，提高竞争优势。

2.1.3　绿色创新能力的概念

C. Fussler 于 1996 年首次提出绿色创新能力的概念，认为绿色创新能力是指可以为消费者和企业带来价值，同时减少对环境影响的新产品和新技术的开发过程。经济合作和发展组织（OECD）把绿色创新活动界定为企业通过对产品、服务、流程、营销方法、组织结构和制度安排的改进，实现保护环境的行为。T. Schiederig（2012）认为，绿色创新活动是把绿色理念融入产品和服务创新的整个生命周期的过程。尽管一些学者对绿色创新进行了研究，但官方至今未对其做出明确的定义。在微观层面，更多的是对企业的个体行为和企业群体的研究；在中观层面，基于行业的角度，将环境污染和能源消耗纳入考量体系，以此来表现绿色创新能力；在宏观层面，研究者主要认为，绿色创新能力是实现经济稳定增长，同时降低环境承载压力的一种创新。

本书对物流业绿色创新能力的研究基于已有研究成果和物流行业的特点；同时考虑数据的可获得性和可计量性，将单位增加值能源消耗量和CO_2排放量作为考察环境效益的重要指标，引入专利授权量和技术市场成交额，将这4个指标结合起来，考量区域物流业绿色创新能力的强弱。

2.1.4 物流绿色创新能力的定义和内涵

物流绿色创新能力是指在运输、库存、包装、搬运、流通加工的全过程中，研究开发新技术、新政策，以减少资源和能源消耗，降低环境污染，为社会带来环境效益，并帮助企业提高投入产出效率以增加经济效益的创新活动总称。刘丹（2013）认为，物流企业服务创新通过采用新的管理方法、运用现代信息技术、改进物流产品与服务以满足顾客的需求。El－Berishy等（2013）认为，绿色物流是企业可持续发展的重要理念，是经济、环境和社会等方面相互联系的产物。王玉（2016）认为，物流设备是物流业的技术支撑，设备的绿色化通过技术创新来实现，在原材料、产品和系统设计中应加入绿色理念。王肖芳（2017）认为，物流绿色创新运用环保理念和先进的物流技术，有效规划物流系统，在物流过程中减少资源消耗和污染。丁瑞等（2020）认为，物流企业中与改善环境有关的创新行为是绿色创新行为，可以采用绿色技术、绿色设施设备，参与绿色供应链管理等。

2.2 相关理论基础

2.2.1 可持续发展理论

（1）可持续发展理论的含义。1987年，《布伦特兰报告》提出“可持续发展是既满足当代人需求，又不损害后代人满足其自身需求的能力”。

许多学者针对该定义，围绕人类需求和价值观展开了后续研究。Costanza（1991）认为“可持续性是人类动态经济系统与更大动态、变化缓慢的生态系统的关系，其中人类生命可以无限持续，人类可以蓬勃发展，人类文化可以繁荣发展”，主要是强调未来利益。然而，Dovers 和 Handmer（1992）在研究中指出，可持续性是人类、自然与系统不断地承受或适应内源或外源性变化的能力。此外，Spangenberg（2011）发现，目前已有许多国家制定了可持续发展战略，但意识形态以及侧重点各不相同。

（2）可持续发展与绿色物流。可持续发展战略的主要内容包括 4 个方面。①突出发展的主题；②发展可持续；③人与人之间的公平性；④人与自然协调共生。可持续发展强调发展是重点，要协调处理经济发展与资源利用的关系。现代绿色物流理论将可持续发展战略融入其中，既要保持物流业的快速发展，又要保护环境、节约资源，使物流与自然环境相互促进，实现现代物流的绿色发展。

2.2.2　生态经济学理论

生态经济学（Ecological Economics）是以生态学理论为基础，以经济学理论为核心，研究人类经济活动和自然生态平衡的相互作用关系的学科；是研究人类经济活动和生态环境相互制约和相互作用的学科；是研究生态系统和经济系统的复合系统的结构、功能及其运动规律的学科；是研究再生产过程中经济系统与生态系统之间物质循环、能量转化和价值增值规律及其应用的学科。生态经济学的研究目的在于保持生态经济化、经济生态化以及经济和生态和谐发展，并且力求让生态经济实现最大的效率。生态经济学包括两层内涵：一是文化意识环境是经济发展的支撑因素；二是其涉及资源分配、社会理想和决策的规范。

物流活动的过程是物质流通加工以及利用的过程，物流活动与生态经济息息相关。传统的物流在运行过程中一味地考虑经济效益而忽视了给环境带来的影响，没有协调好人类经济活动与自然环境的关系。现代绿色物流和绿色生态一样倡导降低能源消耗、减少环境污染的理念，以确保整个物流系统的清洁、高效、有规划。物流作为社会生产过程中一个十分重要的环节，既具有实现物质循环利用、能量转化的特点，还具有使物流活动价值增值的功能。因此，物流使经济系统和生态系统得到有效的结合，将经济效益和生态效益紧密连接起来。反观原始的物流管理，其将经济效益放在首位，忽略对环境的保护和资源的节约，从而导致社会效益低下，对环境和生态系统造成破坏。

经济效益与环境效益是相互对立统一的。一方面，经济是关乎目前的、局部的利益，而环境效益是更长远的利益，从这个角度来看，经济效益和环境效益相互对立，不可兼得；另一方面，环境效益是经济效益的自然基础和物质源泉，经济效益是环境效益的经济表现形式，从这个角度看，两者是统一的，只有协调发展才能实现双赢。

纵观我国传统的物流行业的发展状况，经济效益和环境效益之间更多的是对立，缺少相互促进的发展经验，二者的关系没有得到妥善处理。通常，物流企业都过多地强调经济效益，而忽视了环境效益，导致环境效益下降，反过来制约企业经济的发展，由此形成一个恶性循环。随着物流行业的不断发展，“绿色”概念被引入物流管理领域，绿色物流管理应运而生，这一管理模式较好地解决了经济效益和环境效益的矛盾。

2.2.3　循环经济学理论

循环经济理论（Circular Economics）是由美国经济学家波尔丁在20世纪60年代提出的，其以经济学理论为基础，研究资源效率提高、污染物减少、废物资源化及资源循环利用等问题及其与经济可持续发展的交叉性关系，有利于形成高效有序的绿色物流模式，有利于推进社会经济发展，能够促进社会的和谐进步。Geissdoerfer（2017）等提出“循环经济体现的不是修复和再生设计，其目的是始终保持产品、部件和材料的最高效用和价值”。循环经济理论是具有巨大实践意义的理论，其具体要求是节约资源，实现资源的循环利用，在最小化资源消耗总量的同时，提升资源的利用率，努力将资源废物变成可再生资源，从而实现处在生命周期终点的产品的再生过程；最大限度地节约资源，充分考虑自然生态系统承载的能力，持续提升资源的利用率，真正做到可持续发展。和传统模式的经济增长不同，循环经济使经济活动由过去的“资源、产品和污染”的单向流动，变为“资源、产品和再生资源”的闭路循环。

绿色物流与经济、社会和环境息息相关，是一种全新的物流活动，旨在抑制物流活动对环境的破坏行为，使物流资源得到充分利用。循环经济倡导的是资源的循环利用，主张在经济活动中减少废物排放，减轻环境的负担，这与绿色物流的思想不谋而合。循环经济和环境保护在循环理论中被着重提出，该理论认为，应对物流系统中的相关活动进行改善，关注环境保护、资源节约，彰显可持续发展理念，努力做到降低环境污染，降低资源浪费，最终达到生态环境和经济协调发展的目的。物流活动是经济行为与生态系统之间的“重要桥梁”，其对价值进行转移并使其增值，进行物质的循环和再利用。随着经济效益的提高，物流行为对环境的破坏越发严重，如废弃物污染、噪声污染、交通拥堵、资源浪费、垃圾增多等。根据 3R 原则，循环物流的主要渠道是“生产—流通—消费”；另一种渠道是逆向物流，它与前者相反，它合理处理、分配衍生物产生的物流渠道，如回收、分拣、清洗、净化、提纯、维修、退回、包装再加工、再利用和废弃物处理等。

利用循环经济的思想指导绿色物流的发展，不仅实现了绿色物流在资源利用、技术管理、环境污染以及成本作业等方面的管理，还突破了物流行业的单一模式，形成了以企业、社会以及区域层面的绿色物流作业模式，有可能实现围绕着绿色发展多重指标的测度体系、绿色的国民经济核算以及绿色发展的综合指数这 3 条路径，进而展开以区域绿色物流能力评价指标体系为核心的研究。

2.2.4 产业绿色化理论

产业绿色发展的主题包括绿色包装、绿色营销、绿色化创新、低碳经济等，该主题下的研究较多地运用了案例分析的方法，研究的方向大多集中在企业或某一地区农业、旅游业等领域，更多地分析产业的绿色发展，如怎样通过技术创新促进中国建筑业、食品加工业等的绿色发展，以及我国物流产业如何实现可持续发展，在技术、管理理念等方面如何贯彻绿色发展理念以指导产业迅速发展。同时，该主题的研究热点包括中国的产业升级与产业结构调整等内容，主要围绕清洁能源、清洁生产、循环产业等绿色产业的升级，以及淘汰高耗能、高污染产能，提高绿色生产效率等方面展开研究。新兴产业的发展、产业结构的调整离不开创新，知识共享协调了绿色需求与新绿色产品的关系，对于农业、房地产业、建筑业、工业、物流业来说，要推动绿色创新，进行产业升级，才能推动相关产业的持续发展。

工业绿色化是指企业针对环境问题和企业效益的制约关系进行协调的过程，其实质是减少环境污染，其态度是由被动转变为主动的过程。工业绿色发展是在工业领域对绿色发展理念的贯彻和实施，以资源节约利用和环境友好型发展为市场导向，以绿色创新为发展核心，以提升和改善工业技术为手段，坚持新型绿色创新工业化道路，实现企业效益和环境效益同时正向发展的友好局面。一些发展中国家将工业绿色发展定义为在企业扩张和消除贫困的基础上实现资源节约、企业废弃物排放低污染甚至零污染及其循环利用，以保证生产资料可持续性发展。因此，工业绿色发展大概包括 4 个方面的内容。一是产业结构高端化转型。绿色生产是结合节约自然资源和减少环境污染的理念来扩大企业的绿色生产规模，通过调整和优化供应链产业结构、创新产业结构化技术、实施绿色发展创新相关政策和管理，尽可能地在提升产业利润的同时降低环境污染，逐步淘汰高能耗、高污染产业技术，发展环境友好型产业项目。二是加快能源消耗低碳化转型，减少高污染能源的利用，增加清洁新能源的使用，以减少碳排放量。三是促进资源循环使用，对企业排放废弃物进行合理再利用，如新能源动力电池的梯次利用和拆解。四是产品供给绿色保障，发展绿色工业，为消费者提供更多的绿色和低碳产品，因此为产品供给提供绿色保障势在必行，企业要对绿色产品的生态设计技术进行创新和完善，生产更低污染和更低能耗的产品，并加大对产品供给链的市场保障力度，推进产品绿色化发展，提高绿色产品和低碳产品的供给保障能力。

我国一直在促进绿色生产和发展绿色产品方面不断努力。绿色发展是构建高质量现代经济社会的必然趋势，产业绿色化发展在人民生活、资源节约、环境保护以及社会经济可持续发展方面有着重大作用。同时，绿色产业链的不断发展和完善是企业适应国际经济市场的有力保障。因此，大力发展绿色产业是必然趋势。首先，要加强基础设施建设，通过自主创新等手段提升节能设备和环保装置的技术水平，完善激励机制，促进环境友好型服务和产品的大力发展，提升新型企业的经济效益和社会效益，保障良好的社会经济发展和创新。其次，创造更多的社会福利和企业就业机会，加强对生产工作人员的绿色理念的指导，降低工业资源消耗，减少对环境有害的废弃物排放，降低企业生产对环境的威胁，均衡环境承载力和经济效益创造之间的矛盾。

产业绿色化是实现国家绿色发展的具体路径。王军华（2007）提出绿色金融的基本发展思路，认为既要建立绿色金融的间接融资体系，也要建立绿色金融的直接融资体系，要支持工农业生产的绿色化，要创建金融业的绿色文化。周长春等（2005）认为，工业绿色化作为一个新的工业发展方向，主要包括工业组织行为绿色化和工业生产全过程绿色化两个方面。刘红明（2008）认为工业绿色化是指工业企业对环境问题的认知、思维和行为不断朝着减少污染，使投入、生产过程及其产出和提高环境质量目标相协调方向变化的过程，并将工业绿色化的影响因素划分为宏观因素（自然经济、社会文化和政治法律等）、中观因素（环境政策、市场机制和公众参与等）和微观因素（行业特征、企业实力、企业家特质、企业战略目标等）。钟茂初（2015）指出，发展“环保产业”、推进产业绿色化的产业政策主要包括以下 3 个方面。一要完善“生态环境损耗量”配额制度；二要充分体现高生态效率的产业对低生态效率传统产业的产能更新，应将传统产业的替代性削减纳入产业绿色化的产业政策和规划之中；三是对拟政策性推广的“环保产品”，应在评估其对生态环境的全面影响后再实施。

在生产方面，很多学者认为，绿色化战略是企业实现持续健康发展的重要途径。袁志等（2003）基于循环经济发展模式，对企业绿色化管理的概念模型进行研究，分析了企业绿色化管理的集成特性和管理体系结构，提出绿色发展模式下实现企业可持续发展的战略范式和具体举措。卜华白和卜时珍（2011）以企业实施绿色生产经营行为的收益成本结构为研究的切入点，解释了企业实施绿色生产的绩效来源，澄清了企业实施绿色生产的思想误区，确立了企业实施绿色生产的成本收益结构，为企业实施绿色生产的决策提供了理论支持和方法指导。魏锋等（2001）指出，我国企业必须尽快顺应绿色发展潮流，采取积极的环保态度，壮大生态化实力，申请绿色认证，建立系统规范的绿色管理体系，重塑绿色企业形象，实现企业绿色化。王旭（2014）指出，要实现企业绿色技术创新驱动绿色发展，从微观层面应当通过企业自身生产方式的绿色化和清洁技术的运用实现；从宏观层面应当为企业构建有利于企业绿色技术创新的社会舆论环境、政策制度体系和市场体系。

在消费方面，如何通过改善消费行为来实现绿色化普及是一个热点问题。李冬（2010）阐述了发展循环经济背景下消费行为绿色化动力机制的构成和构建消费行为绿色化动力机制的制度和政策措施。井绍平和陶宇红（2008）以消费者需求为视角，对产品绿色化创新路径进行研究，从消费人群不同的需求偏好、需求强度的差异化、内涵梯级递进、动机和候选框架等方面分析了我国消费者的需求特征，并从需求热点、梯级递进的创新管理、绿色环节展示和利用行业之间的“绿色”交互延展性影响等方面提出企业产品绿色化的路径建议。马维晨和邓徐（2017）认为，绿色消费制度完善、市场监管、行为引导等方面存在问题，应当加强法治体系建设、加快绿色产品标准体系建设、增强经济调控、落实国家产业政策等。

2.2.5 动机理论与计划行为理论

动机（motivation）是维持个体某特定行为的动因。个体从事任何活动的原因被称为行为动机。动机可以是有意识的，也可以是无意识的。动机的功能包括：①激发功能，促使行为的产生；②指向功能，引导个体行为朝某个方向发展；③维持和调节功能。

动机从来源上可以划分为两大类：内在动机和外在动机。内在动机是指由于自身意愿产生的行为驱动力量，当人们具有内在动力时，他们便会为了内在的满足、享受或挑战而从事某项活动。外在动机是指由外部环境因素引起的行为推动力量，是建立在外部奖励或惩罚之上的动机。Deci 和

Ryan（2008）提出，自主动机和受控动机都会影响行为，但会导致不同的结果，自主动机会导致更大的承诺和长期的行为维持，外部动机和内部动机是相对存在的。任何个体的行为都不是单纯的内部动机或单纯的外部动机作用的结果，而是两者相互作用的结果。

计划行为理论（Theory of Planned Behavior，TPB）是社会心理学中较为著名的态度行为关系理论，该理论可以追溯到 Fishbein（1963）的多亲属理论（Theory of Multiattribute Attitude）。计划行为理论认为，意向是促使个体产生特定行为最直接的因素，而行为意向反过来受态度、主观规范和知觉行为控制的影响。该理论包括态度、主观规范、知觉行为控制、行为意向与行为 5 个要素。其中，态度是指个人对特定行为的有利或不利的评价；主观规范概括了个人对执行或不执行特定行为面临的社会压力；知觉行为控制表示个人对事件难易程度的主观信念。具体内容如图 2－1 所示。

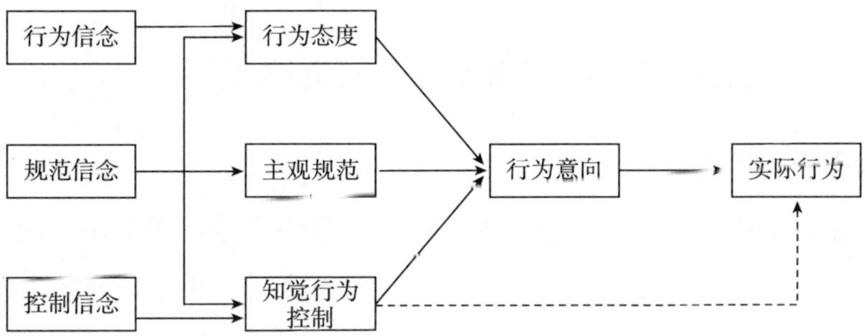

图 2－1　计划行为理论结构

2.2.6　绿色创新理论

“绿色经济”这一概念被提出后，其含义一直在不断扩展。人们对绿色经济中的绿色方式和绿色程度的观点不一，绿色技术通过高技术创新进行清洁生产、生物多样性保护、生态修复等，创新技术涉及生态创新、环境创新和绿色创新。2009 年起，关于绿色创新的研究文章逐年增加，关于生态创新、环境创新的文章逐年减少，学术界对于“绿色创新”的认知趋于广泛和提高。正如前文所述，Fussler 和 James 在《绿色创新：创新和可持续发展的突破体系》一书中提到该词。绿色创新常常和环境创新、生态创新、可持续创新等理论密不可分。但是，其至今没有一个统一的严格定义。在对相关理论的梳理中，新产品、新技术、新生产过程等都属于绿色创新的范畴。

20 世纪 90 年代，我国首次使用“绿色创新”这一概念，对于绿色创新的理解不仅指技术、管理等方面的创新，还指广义上的旨在降低环境污染的创新。绿色创新的目标是协调企业、经济、社会的可持续发展。不同学者从不同的研究角度针对绿色创新给出了不同的定义。洪洁提出企业绿色持续创新的概念，即企业在长时间内，持续不断推进实施绿色创新项目以改善环境质量并实现创新经济效益。中国学者将物流绿色创新定义为，在运输、库存、包装、搬运、流通加工的全过程中，研究新技术、新思想、新政策，以减少资源和能源消耗，降低环境污染，为社会带来环境效益，帮助企业提高投入产出效率以增加经济效益的创新活动的总称。在绿色创新过程中，李强华（2014）强调了高技术对绿色创新的推动作用，绿色创新对生态环境保护和经济社会可持续发展具有重要意义。

2.3　绿色物流行为与绩效的相关研究综述

2.3.1　绿色物流行为

企业的绿色物流行为是指企业在物流过程中充分利用资源、减少能源消耗等一系列针对环境保护的相关行为。时至今日，更多的企业在实践中实施绿色物流行为，如苏宁不断探索绿色物流行为，制订“青城计划”；2018 年，顺丰实行“丰 · Box”终端循环包装，在 24 个业务区落地实施，节约用纸 3.55 亿吨；等等。本书在梳理文献时，总结了物流企业的各种绿色行为。

（1）绿色包装。绿色包装包括 3 个方面：一是实行包装减量化；二是使用可回收或者可循环使用的包装材料，便于重复利用；三是尽量使用可降解的包装材料代替有害物质，减轻环境负担。一些国家的包装废物占城市生活垃圾总量的 15% ~ 20%。近年来，超过 60 个国家实施了禁令和征税措施，以遏制一次性塑料包装废物。在消费者端，越来越多的消费者选择绿色包装产品，如可生物降解及可堆肥的包装、包装材料的选购、包装设计的开发以及报废处理，其对整个物流经营成本和环境效率有很大影响。早在 2004 年，李巧华在研究物流绿色实践时就从产品的设计、循环利用、使用环保材料等角度来衡量绿色实践。Colicchia 等（2013）通过对荷兰 145 个 LSP 的调查，发现样本公司采取的多数绿色举措都涉及公司的“点”运动，包括多式联运、回收循环使用包装材料、使用替代能源等。以“采用可持续包装做法”和“包装废物管理”为主题的研究提倡在物流服务提供商激励结构中使用协作方法，以促进采用可持续行为，减少包装浪费，提高社会可持续效率。绿色运输电子商务的快速发展带动了物流业的发展。由于缺乏用于物流活动的空间，日益增加的物流活动大大提高了现有的交通拥堵程度，城市的运输压力逐渐增大。Bapna 等（2002）的一项研究表明，在美国俄亥俄州，城市地区排放的污染物总量中的 90% 由物流活动、公共交通和个人车辆导致，这些都给城市的环境保护增加了许多压力。

（2）绿色行为。其包括优化运输路线以缩短里程，采用多式联运，优化负荷分配，使用 IT 应用程序对车辆路线进行规划和调度，使用新能源汽车、电动汽车等。Murphy 和 Poist（2003）在美国进行合作和整合系统研究时发现，通过使用物流终端配送系统，越来越多的公司可以将成本从 45% 降低到 20%。根据这项研究，通过使用城市地区的物流终端配送系统，车辆公里数减少了 60%。正如 Colicchia（2013）所提到的，多式联运以及使用新能源都是物流公司的绿色行为，他表示，电动汽车（EV）的推出属于新技术，它们的使用有助于减少当地的空气和噪声污染。2015 年，Rodrigues（2015）等提出采用更长的重型车辆可能是实现绿色物流运输的一种方式，其研究得到了验证。Baz 和 Laguir（2017）在定性访谈摩洛哥 LSP 的绿色实践时提出绿色举措，其中就包括使用替代燃料、低碳交通等。此外，环境友好型车辆（EFV）对减少空气污染尤其重要，可减少哮喘、支气管炎和呼吸道感染患者的人数，这是城市物流绿色行为的重要一步。

2011 年，Kim 和 Ha 针对韩国物流公司构建测量绿色物流行为的多项目量表，并通过验证性因子分析将绿色物流实践 4 分为 3 个维度：内部环境的绿色管理、环境采购和包装、环境过程设计。内部环境的绿色管理直观地反映了一个企业的绿色水平和企业对采取绿色实践的重视程度。回顾以往的文献可以发现，内部绿色管理并没有一个明确的概念，但朱庆华和赵清华（2005）在对制造业的供应链管理实践进行调查分析时，对内部环境管理的内容做出概括：遵守环境法规或环境设计的计划、建立全面的环境管理体系、进行 ISO 环境认证等。由此可以看出，企业内部的绿色管理实际上就是企业环境管理水平的反映。Lin 和 Ho（2010）对中国物流企业的绿色实践情况进行了问卷调查，并对 322 个样本进行了分析。研究结果表明，绿色实践的相对优势和兼容性、组织支持、人力资源质量、监管压力和政府支持对中国物流企业绿色实践有显著的积极影响。环境的不确定性和绿色实践的复杂性对绿色实践的采纳有显著的负面影响，客户压力对中国物流企业的影响并不显著。传统上，人们认为服务业和运输业对环境的影响小于制造业。然而，一些服务部门，如物流业，消耗自然资源并产生污染物，因此需要在环境管理方面做出更多努力。环境问题已成为环境管理和战略的一个重要因素，需要通过物流公司实施的绿色倡议，实现对自然环境的保护。

2.3.2 绿色物流动机

20 世纪 80 年代末，发达国家为改善生态环境开始推行清洁生产，社会对环境保护的需求不断增加，对从业者的关注变得更具持续性，如今，国内外对绿色物流动机的研究主要集中在以下两个方面。

（1）外部监督。物流企业的外部监督主要来自政府、行业及公众。外部监督的动机主要包括环境法规、公众监督、行业竞争等。Eyefortransport（2008）对公司投资绿色物流的关键驱动因素进行了调查。B. Bekovnik（2015）对港口部门应用环境的趋势和驱动因素进行了分析，研究结果可以帮助港口管理部门定义一个场景，以便更快地引入环境的社会目标和措施，以遵循可持续发展并在未来的绿色和可持续供应链中定位自己。这可能是由于环境法规在发达国家的设计和执行比在发展中国家更严格。在市场工具方面，Zheng Huili 等（2018）通过定量模型和绿色贷款理论，对政府补贴和绿色贷款对于促进清洁行为的有效性进行研究，指出绿色补贴可降低企业的贷款成本，由此提高企业实施绿色创新的意愿，并通过研究数据证明绿色贷款补贴可以通过减少能源排放对环境产生积极的影响。

外部监督的压力还包括行业压力。Zhang 等（2014）在研究中确定了中国物流业实施绿色实践的驱动因素，并通过问卷调查和因子分析确定了各因素的关系。研究指出，绿色物流产生的主要驱动因素是环境管理战略、行业强制性和规范性因素。Evangelista（2014）根据意大利的 13 个 LSP 的案例研究，揭示了绿色实践的驱动因素，并系统总结以往文献，以探讨这些因素的作用。研究表明，潜在因素包括内部和外部利益相关者的压力、客户关系和长期合同、企业愿望或管理承诺、组织支持、监管压力和政府支持。在竞争压力较大的行业环境中，许多企业会过多关注其竞争对手的运作模式，叶飞和张婕（2009）在研究中发现，单个企业的管理策略变动会影响其他企业的竞争行为。

此外，也有学者提出公众舆论会驱动企业加快绿色物流发展步伐。公众舆论（Public Opinin）反映了企业对社区以及互联网言论的关注程度，体现了群众的力量。随着互联网技术的发展，公众舆论成为不可忽视的力量。YongDu 等（2007）提出，公众环境诉求日益强烈，对重污染企业的运营产生了影响。研究发现，公众对环境的诉求，对创新科技的发明、投入和效率有积极影响。孙巍文（2013）通过研究提出，公众虽然无法直接干预企业的活动，但他们可以通过影响企业利益来迫使企业改变行为。

（2）提升竞争力。企业提升竞争力，一要提高企业的资源利用率，节省成本；二要在行业中积极响应供应链上下游的要求；三要提升企业的外在环保形象，吸引消费者注意，提高市场份额。Frondel 等（2007）指出，企业会认为提高资源的利用率可降低成本，因此愿意采用清洁技术。虽然仅节省成本不能激励企业创新绿色技术以改变企业的运营模式，但更多的研究表明，节约资源的动机足以激励物流企业采取一些简单的清洁行为。

供应链上下游包括生产制造企业、销售代理以及客户。Yong Zhang 等（2014）在对南京货运业的绿色实践动因调查过程中发现，供应商的绿色行为会激励物流企业的绿色实践，如供应商采取的绿色环保包装（如布袋包装、可循环包装箱等），会要求物流企业在配送后进行回收。Baz 和

Laguir（2017）通过对摩洛哥 LSP 的定性访谈，探讨了绿色行为的主要驱动因素和障碍。从他们的研究中可知，驱动因素分为两组：内部驱动因素（管理支持）和外部驱动因素（来自合作伙伴、客户、政府的支持和要求）。在这种情况下，主要障碍是缺乏财政资源和高投资成本，缺乏明确的法规。朱庆华（2009）在研究中发现，顾客的一些需求可以提高企业的绿色设计能力。随着居民生活水平的提高，一些顾客在消费的同时开始关注产品消耗是否对环境产生影响等问题。在这种情况下，企业为了满足广大消费者对产品环保属性的需求，就从各方面考虑绿色问题，这些都必然促进企业投身绿色实践。朱庆华发现，顾客需求作为企业绿色实践的动力对企业的绿色行为将产生正向影响。

此外，部分学者探讨了提升企业形象对企业绿色行为的影响。企业的绿色行为可以提高企业的形象。中国物流公司数量超过 30 万家，是增长最快的实体行业之一，面对如此激烈的竞争，物流企业形象对提高自身竞争力至关重要。Freeman（1984）在研究中发现，部分企业很重视外在形象，认为形象的提升会给企业带来更多的收益，其更有意实施绿色物流行为，提升企业的绿色环保形象。

通过对物流企业绿色行为驱动因素相关成果的梳理和回顾可以看出，当前有关研究相对较少，大部分学者较侧重对供应链的绿色实践及其影响因素的研究，在少量的研究中涉及绿色行为。从已有的文献来看，物流企业绿色行为的驱动力主要来自外部监督以及自身提升竞争力的需求。本书在此基础上，综合以往的指标，全面地分析了绿色行为动机的具体内容。

2.3.3 物流企业绩效

绩效（Performance）一词源于管理学，但学术界对绩效没有明确的定义。本书在梳理文献时发现，不同的学者对绩效有着不同的理解。其中比较典型的是 Bernardin 等的定义，他们将绩效定义为“在特定时间范围，在特定工作职能或活动上生产出的结果记录”，其将绩效认定为结果。Campbell（1993）认为，“绩效是人们采取的可被别人观察到的行动”，主张行为绩效。实际上，绩效既包括行为，也包括结果，它是一定时期内的工作行为、方式、结果及其产生的客观影响。物流包含一系列复杂的活动，需要一个全面的度量系统充分衡量其绩效。

物流企业绩效评价（Performance Evaluation of Logistics Enterprise）是指在特定时期内，对企业自身的业绩、进度进行预先指导，并对其效率进行衡量，以此来判断企业是否实现预期目标。随着学术界对“绩效”的深入研究，一些学者对物流企业的绩效展开研究，总体来看，学者在研究时将物流企业的绩效分为两大类：经济绩效和环境绩效。经济绩效（Economic Performance）是组织从其经营活动中获取的经济价值，是能够从企业的具体财务数据中体现的，主要通过企业的运营能力、发展能力、盈利能力等财务指标来体现。财务指标是被普遍接受的，因为它们很容易得到。张宝友等（2008）运用数据包络分析（DEA）对上市物流公司的财务数据进行动态评价，选取了固定资产净额、净利润和主营业务收入等指标。该评价体系数据获取较为简单，但没有体现物流企业的全部特征。此外，Anand、Pagell 等（2004）认为，评价企业绩效时的主要测量指标包括销售额、利润、市场份额、资产回报率、投资回报率等。经济绩效是客观指标，不能全面反映物流企业的综合绩效，因此需要结合环境绩效进行综合评价。

环境绩效（Environmental Performance）是指物流企业在实施清洁行为中取得的成果。物流企业环境绩效评价是绿色管理的核心问题之一，但相关学术领域并未建立系统的评价体系，这使企业实施环境行为的积极性受到一定的影响。但是，一些学者在研究企业绩效时对其做了简单评价。Zhu 和 Sarkis（2008）在评价企业的绿色实践对绩效的影响时，提出企业的绿色实践会对企业的环境绩效产生正向的影响，且提出企业的环境绩效主要是考察企业能源消耗的改善、废气废水废物的排放量等。Sini（2018）在构建绿色物流的环境绩效评价指标体系时提到，物流企业的环境绩效应当分为管理绩效指标（包括环境目标的达成比例、产品改善的成本、客户的满意程度等）和作业绩效指标（包括产品回收物料使用程度等）。然而，这些文献在评价物流企业绩效时，着重点只是环境绩效或者经济绩效中的一个方面，并没有将两者结合起来，综合分析物流企业的绩效。

回顾过往文献可以看出，学术界一直在探讨“绿色行为是否会给企业带来环境和经济效益的改善”。从短期角度来看，销售增长带来的收入增加是理想的绩效结果。此外，通过客户重新购买和交叉购买活动，提高客户满意度可能是一个长期目标。各专家学者研究得出的结论不尽相同，有的认为，企业的绿色行为和经济效益是矛盾的，积极的环境战略并不一定能带来绩效改善（Lee and Rhee，2007），企业在大力实施绿色行为的同时，必然会投入许多资金，因此会导致企业经济绩效的下降。Horbach（2012）认为，企业实施绿色行为，将不可避免地在一定程度上对当前的运作模式做出改变，这使得企业的负担和成本加重，对企业的经济效益产生负面影响。但是，也有学者持相反的观点，认为企业的绿色行为会提高企业的资源利用率，从而降低成本、提升经济绩效。

众多研究表明，企业的绿色物流行为可以实现节能减排、减少污染、提升企业形象等目的，这些最终都会作用于企业的绩效。Porter 和 Van der Linder（1995）的研究提出，物流企业的绿色行为会减少污染物的排放总量，有利于企业树立绿色环保形象，提升其竞争力。Jayaraman 等（2019）在研究中发现，物流业中的绿色运营不仅被认为有助于提高企业市场份额，还可以提高客户忠诚度并提高企业的经济绩效。张小军（2011）提到，企业的绿色物流行为，能够帮助企业有效地应对开发绿色创新产品的压力和面临的环境风险，企业绿色创新战略不仅对企业员工责任绩效、企业产品责任绩效和企业环境责任绩效有明显的正向效应，同时还有助于提高企业经济绩效。

在物流运营中，拥有更好的绿化能力的企业可以更有效地向其客户提供物流服务。例如，与客户保持密切工作关系并了解客户环境保护目标的物流服务供应商可以制定有效的业务流程，以便更好地为客户服务。此外，有学者研究发现，企业的绿色行为会在企业自身环境绩效的中介作用下间接作用于经济绩效。李怡娜和叶飞（2011）通过研究发现，环境绩效会提高企业的边际效益和市场份额，减少因污染环境导致的罚款，降低原材料的成本，提升企业的财务绩效。Jacobs 和 Singhal（2010）通过研究发现，物流企业的绿色行为将改善环境绩效，一方面可以提高资源利用率，另一方面可以提升企业的绿色环保形象，从而吸引更多的消费者。

2.4　物流绿色创新的相关概念及研究综述

2.4.1　物流绿色创新影响因素研究

目前，国内外学者对产业和企业进行绿色创新的影响进行了广泛的研究，绿色创新领域进入了指数式发展时期。一些学者着重从某一因素出发开展研究。Iztok 等（2020）探讨了先进制造技术对企业绿色创新和绩效的影响。其研究发现，有 66% 的创新成果是绿色创新。Wang 等（2020）构建了内生性企业绿色技术创新因素的博弈模型，研究表明政府市场监管可以显著提高企业绿色技术创新水平。Zhao 等（2021）基于社会资本探讨了客户和供应商对绿色开发创新的积极影响。童昕（2007）通过对深圳、东莞的电子企业进行问卷调查，考察了欧盟电子产品环保指令对绿色创新的驱动作用。李婉红（2013）深入探讨并发现“命令—控制”型、市场化型和相互沟通型规制工具对制造企业绿色创新技术均有正向影响作用。何凌云等（2019）采用上市节能环保企业的面板数据，通过中介效应研究了绿色信贷对企业技术创新的影响机理。研究表明，技术研发对绿色信贷规模的扩大和环保企业技术的创新起到了促进作用。杨朝均（2019）研究了动态的政府管制策略对绿色创新扩散的影响，结果表明，监管成本、监管比例、补贴和惩罚对绿色创新扩散的影响各不相同。还有一些学者探究了综合因素的影响。吕洪燕等（2020）研究了创新效率动态变化的驱动方式，分别从效率驱动、技术驱动等考察其对各省份的影响。曾江洪等（2020）从企业的社会责任报告书剖析相关数据，论证了环境规制、需求拉动和供给推动因素对企业绿色创新的影响。结果表明，这 3 个因素对不同类型的绿色创新均具有普遍显著作用。同时，绿色产品创新对企业的经济绩效具有正向影响，绿色过程创新则不然。任相伟（2020）从宏观、中观和微观维度探究了中国企业绿色转型的前置动因，认为经济环境、产业和外部关系，微观企业的交互作用等驱动企业采取绿色转型行为。张小筠（2020）提出了一个新的理论视角，研究环境命令型、市场激励型规制对竞争力不同的制造业的影响。结果证明，环境规制的阻碍效应对高竞争行业的影响更为显著，技术创新可驱动低竞争性行业的绿色发展。Karia 等（2010）认为，绿色创新对物流行业作业流程安全和行业更好运营是至关重要的，而确认物流中的地理标志，即鉴别某一产品的产地，是提高竞争优势和可持续发展的一个重要方法。Chang 等（2011）从政府政策引导出发，认为科学发展观为绿色物流创造了良好的政策环境，国家产业政策将绿色物流引导到可持续发展的战略方向。王桑（2019）分析了长江经济带物流业绿色绩效的影响因素，其中经济发展水平、人口聚集造成物流业污染加剧，新技术代替落后的机器设备可以减轻环境负担。远亚丽（2013）基于低碳视角，利用结构方程模型探讨了影响物流产业集群服务创新能力的关键因素，结果显示，低碳技术创新、低碳创新政策、低碳知识水平创新、低碳创新支撑机制是影响服务创新能力的关键因素。戴钱佳（2020）利用 30 个省份 13 年的面板数据，探讨了不同类型的环境规制对技术创新和物流业绿色全要素生产率的影响；在命令控制型、经济激励型和公众参与型 3 种规制中，只有公众参与型对物流业绿色全要素生产率具有显著的推动作用。

关于物流企业，G. Qing（2012）从政府层面探讨了物流企业绿色创新行为的驱动因素，法律、法规、税收、制度等因素可以直接或者间接促进发展绿色包装材料，并且可以建立专门的机构来鉴定包装材料的合规性，充分发挥政府的职能职责，有效驱动企业的绿色行为。金国斌（2010）研究了物流企业进行包装绿色创新的驱动因素，认为世界消费市场的变化、物流运输系统的变化、新材料制品的变化、对包装材料的严格限制和国际贸易中技术与绿色壁垒都是驱动因素，呼吁包装与现代物流链的良性循环。C. Y. Lin 等（2008）研究发现，大多数制造企业往往主动采取绿色创新方法来节约成本，这有利于促进商业伙伴的合作；通过对中国台湾地区的 162 家物流公司进行调研，将影响物流公司绿色创新的因素分为技术因素、组织因素和环境因素。这些因素对绿色实践具有积极影响。环境实践的明确性和积累性、组织激励、人力资源质量、环境不确定性和政府支持对物流服务采用绿色创新的意愿具有显著影响。较高的绿色实践显性化有助于企业组织内部技术知识的转移，进而提高企业采用绿色实践的意愿。S. Zailani 等（2011）根据比例随机对马来西亚的物流公司进行调研，其结果显示，76.9% 的公司认为技术是创新物流服务环境的重要工具，而管理者的绿色认知程度是驱动企业进行物流技术创新的关键。X. Tian 等（2016）探讨了物流企业社会资本对服务创新的驱动，并从纵向社会资本、横向社会资本和社会关系资本 3 个方面出发进行分析。纵向社会资本指的是企业与供应商、客户的关系，横向社会资本指的是企业与银行、政府、金融机构、行业协会的关系，作者将影响因素归于企业自身和外部实体对企业的影响。于丽静（2018）运用演化博弈的方法分析物流企业群体、政府和消费者对绿色创新扩散的影响。

2.4.2　物流绿色创新能力评价研究

现有文献在评价绿色创新能力时，主要从两个方面进行相关研究。一是通过建立综合的指标体系进行综合评价。Pan（2018）设计了绿色创新投资能力、绿色创新管理能力、绿色研发能力、绿色创新生产能力等 6 个指标来衡量制造企业的绿色创新能力。Yin（2010）从输入要素、技术产出、经济产出和社会效应 4 个方面构建制造业绿色技术创新能力评价体系。谢琨等（2019）从经济、创新、社会、生态 4 个维度建立我国钢铁企业绿色技术创新评价指标体系。二是从效率角度进行评价。Lin（2010）采用理想窗口宽度的数据包络分析方法评估了 2006—2014 年中国 28 家制造业的绿色技术创新效率。与传统数据包络分析法相比，前者的分析结果更接近中国制造业的实际情况。Wang（2020）使用 SBM - Undesirable 模型和 Malmquist 模型从转换效率（静态）和生产率（动态）两个维度评估了 2014— 2018 年中国污染密集型产业的绿色创新绩效。王彩明（2019）基于 2005—2015 年的地区工业面板数据，运用非径向数据包络模型测量中西东 3 个区域的绿色创新绩效。张雪梅等（2019）将工业行业分为资源密集型、劳动密集型和资本密集型 3 类，利用 34 个工业行业面板数据，并运用寻踪分类模型测度生态创新效率。柏明国（2019）利用网络 SBM - DEA 模型和 Malmquist 指数方法对我国 12 家钢铁企业的绿色技术创新效率和绿色全要素生产率进行了研究。赵立雨等（2020）采用 DEA - BCC 模型和 Malmquist 指数测算了陕西省制造行业中 22 个子行业的绿色创新技术效率。

本书在对相关文献进行梳理后发现，针对宏观区域、制造业、工业和重污染企业的绿色创新评价较多，而物流企业的相关研究则较少。目前，已有的文章有的是针对物流企业绿色、低碳物流的综合评价，Zhao（2015）从低碳策略、低碳物流技术和低碳物流过程 3 个维度评价了物流企业低碳发展水平。董鹏（2020）从低碳物流职能和物流对环境的影响两个方面构建指标，主要评价了物流企业的资源使用、包装绿色化、低碳保存和运输等。杨依如（2013）在设计物流企业业绩评价指标时加入环境这一指标，调查运输中的碳排放、能源消耗和材料的循环利用情况，并以此来评价企业是否达到法律法规的相关要求。周培（2019）在对冷链物流企业的绩效评价中加入绿色环保绩效指标，以在考量财务、服务、流程绩效的基础上，降低企业对环境的污染。戴恩勇等（2014）在设计物流资源利用和环境保护效益指标时，将物流环保资金投入比率作为子指标，体现物流企业的环保改善潜力。智慧物流的提出是物流技术创新的具体体现，智慧物流和绿色物流的共同目标是降本增效，两者相辅相成。刘喜梅（2020）构建了符合物流系统的运输、仓储、包装等七大功能的模块评价指标综合评价体系。一些学者针对创新绩效进行评价。Y. Huizhe（2011）从员工学习能力、创新机制和创新效率 3 个方面评价了物流企业的创新能力，创新能力是企业可持续发展的重要指标之一。王蕊（2012）认为，员工的创新能力极大地影响了企业的创新能力，并建立了评价物流企业创新型科技人才指标，进而加强了企业人才的引进与管理，提高了物流企业的竞争力。李守林等（2018）从物流企业的资产与经营获利能力、企业发展能力和企业创新能力等角度构建指标体系，评估了物流企业的创新绩效。杜红艳（2017）从信息化水平、经费、经营战略等方面构建了物流企业创新绩效评价指标。张池弛（2015）在构建物流企业评价指标中考虑了创新与成长对企业的影响。刘艳等（2010）认为，创新活动驱动物流企业创新，并从内外部环境驱动力等角度建立了物流业创新驱动能力评价指标体系。在物流企业绿色创新能力评价方面，李萩林（2013）依据物流企业的行业特征，从实际情况出发构建了绿色创新投入能力、绿色创新管理能力等 6 个一级指标，评价了物流企业绿色创新能力，较为系统地评价了物流企业的绿色创新能力。

2.5　文献评述

本章通过梳理国内外相关研究成果发现，最近 10 年来，物流企业绿色行为相关方面的研究内容不断丰富、数量不断增加，为本书的研究奠定了坚实的理论基础。有关物流绿色行为的研究成果，无论是绿色物流，还是物流的绩效问题，大多以区域或国家为研究对象，但面对全球竞争日趋激烈、资源短缺、环境保护压力增大，实施怎样的绿色行为能使企业在高速发展的物流行业中占据有利地位，引领行业实现可持续发展，还有待深入系统地研究。国内学者大多是对绿色物流进行简单的描述性研究，对具体物流企业的具体绿色行为进行实证研究的较少，且尚未发现综合研究物流企业绿色行为产生的动机以及行为对动机产生的影响的相关文献。

对于宏观物流行业，本章在梳理绿色创新、物流业绿色创新、物流业绿色创新的影响因素和物流业绿色创新能力评价相关概念和理论的基础上，对区域物流业及其特征和绿色创新能力的概念进行了界定，并梳理了与区域物流业绿色创新能力相关的理论。本书通过梳理文献发现，对于绿色创新能力的提升和研究，大多数学者重点讨论制造业、工业；对于物流业的绿色创新，现有研究重点研究绿色技术创新，或者将创新和绿色割裂开来，研究视角过于单一。在研究对象和研究方法上，一些研究通常对某几个省份的面板数据进行实证分析，对全国 31 个省份进行整体分析的文献较少，且通常从时间维度对绿色创新能力进行评估，少有从时间和空间双维度进行动态评估的文献。本书在对我国区域物流业绿色创新能力进行综合评价和空间分异分析后，再对其影响因素进行深度剖析，使研究过程更加完整。

微观篇：
物流企业行为与绩效

第 3 章　物流企业绿色发展的驱动机理

物流业在社会发展中起着重要的作用，物流产业的绿色转型成为保护环境、减少资源消耗的重要举措。

根据第 2 章对物流产业相关理论的分析和笔者所获得的启示，本书建立基于产业内部和外部的物流业绿色转型的驱动模型，具体内容见图 3－1。

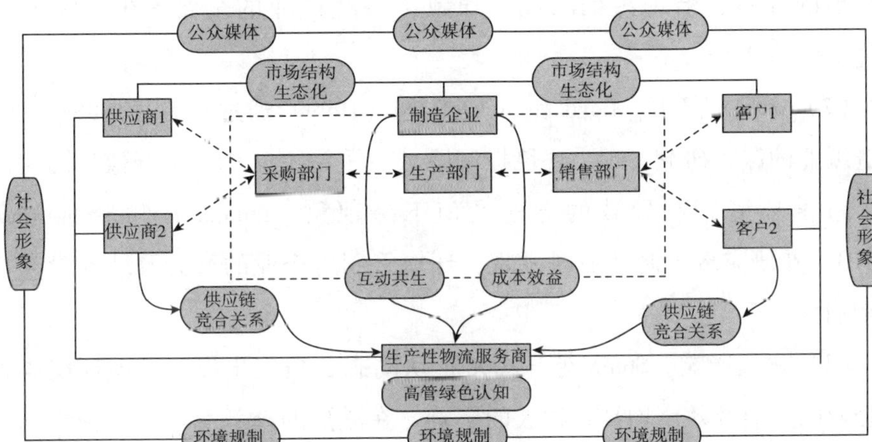

图 3－1　物流业绿色转型的驱动模型

图 3－1 表明，影响物流业绿色转型升级的外在因素包括社会形象、公众媒体、环境规制、市场结构生态化 4 种因素；内部因素包括成本效益、互动共生、高管绿色认知、供应链竞合关系 4 种因素。这些因素考虑经济社会的不同角色，如政府、客户、媒体和相关联企业的职能和作用，还涉及物流企业的成本和内部管理者、员工的驱动作用，不同类型企业与物流

业的合作竞争关系等。本章将对物流业的驱动模型进行详细描述和分析。

3.1 物流企业绿色发展的外在驱动机理

3.1.1 环境规制

伴随着资源枯竭和环境压力，物流企业的绿色行为与绩效受到了影响，越来越多的学者开始对环境政策工具选择以及效果进行研究。国外学者在研究物流企业环境管制的调节作用时，通常有以下 3 种观点。

（1）消极影响。早期研究证实，环境管制对产业绩效有负面影响，这种观点 20 世纪 90 年代初在美国更为普遍。Jorgenson 和 Wilcoxen（1990）通过对美国有无环境管制的经济增长状况进行对比后发现，环境管制导致美国 GDP 下降 2.59%，其中重污染行业经济绩效受到的影响最大。Jaegul 等（2011）同样认为，环境管制激发的创新并不能弥补企业为应对环境规制付出的成本，治理污染的成本导致了一些产业的全要素生产率有所下降。

（2）影响不显著。Boyd 和 McClelland（1999）通过对美国 1988—1992 年造纸业的深入研究发现，环境控制既减少了污染又增加了产值，同时出现了过度环境管制导致的潜在产值下降现象。Lundgren 和 Brännlundr（2010）在研究瑞士制造业时发现，环境管制对企业的行为及绩效没有显著影响。

（3）积极影响。Sonia 等（2008）从动态的角度出发，发现环境监管对企业的产值及效率均具有积极的影响，在激烈的外部竞争中这种影响更加明显。同时，Lundgren 和 Brännlundr（2010）提出，政府适当的环境管制对提高企业的竞争力产生了正向影响。环境管制能扩大企业市场空间、增加企业市场份额、提高企业管理水平、增加企业利润、提升企业竞争力，因此，从无到有的环境控制过程会对企业绩效产生积极影响。

中国国内开展此项研究相对较晚，但已有不少研究成果。马海良等（2012）对长三角经济区域的面板数据进行分析后发现，环境监管可以在前期和后期显著促进企业的技术创新和绩效。侯伟丽和方浪（2012）在分析中发现，环境管制可以帮助提高中国高污染行业的竞争力。大多数学者认为，环境监管是有效的，严格环境监管可以减少环境污染。但是，这种看法可能会产生误导。正如罗素清（2016）在研究中所说的，政府环境管制如同一把“双刃剑”：一方面，可以激发创新，提高企业竞争力；另一方面，若过分管制，则可能降低企业的盈利能力和竞争力。金碚等（2009）认为，企业适应环境管制带来的成本增加需要一些时间，因此环境管制的推进应该循序渐进，如果管制太松，将起不到作用；如果过度管制，企业则负担不起。

通过对文献的梳理可以发现，环境规制对企业的影响尚未形成统一的结论。现有文献大部分研究的重点是在环境管制对企业生产效率、工业绩效和技术创新的影响上。鲜有文献将当地环境管制作为调节变量来探讨其在企业行为影响绩效中的作用，物流行业相较于其他行业对环境的压力更大，因此环境管制对物流行业的影响还是比较大的。

环境政策是国家保护环境的政策方针，以环境立法和环境管理为主，有别于绿色产业政策目标。彭海珍和任荣明等（2003）认为，自然环境资源作为一种公共品，具有非排他性和非竞争性的特征，而这种“无产权”性导致人类可以无偿自由享用和无节制地争夺稀缺环境资源，从而造成环境资源的过度开发利用，乃至枯竭。此外，只依靠满足顾客需求和提高产品质量的激励作用，不仅对减轻环境所受压力收效甚微，还会加快环境污染的速度和加重其程度，甚至引发更具伤害力的环境问题；而环境政策恰好可以扭转环境问题带来的市场失灵局面，将环境外部不经济转变为内生问题，有效解决资源高能耗带来的一系列问题。

环境是人类生存发展的必要条件，因此环境治理也是人类长期以来关注的问题。从环境治理的历史性来看，自 Pigou（1920）率先提出对内部环境外部性成本进行征税，大量学者和相关管理部门也对环境补偿问题进行了探索，相继推出各类工具以促进环境政策的有效实施。Porter 和 Linde（1995）、Jaffe 和 Palmer（1997）认为，由环境管制衍生的合理成本必然会对产业的竞争力产生影响。Porter（1991）提出“波特假说”，认为适当的环境规制可以促使企业进行更多的创新活动，而这些创新能够提高企业的生产力，抵消由保护环境产生的成本，并且能够提升企业的盈利能力。“波特假说”对企业对环境规制的反应是从静态角度来分析的。实际上，为了迎合环境规制的需要而进行新的探索和投资，企业将支出较高的减排成本，但新的生产过程和产品会提高企业的市场竞争力，在一定程度上降低了生产运营成本，而这些益处会抵消甚至超过环境规制产生的成本。受“波特假说”的影响，学者往往对环境管制和企业技术创新，以及企业市场竞争力的协调与制约关系进行探讨，以实现在政府政策干预下提升企业经济效益且降低环境损害的目标。因此，以促进企业对环境外部性成本内生化为中心，政府逐渐形成了以命令—控制型政策工具、市场化政策工具和自愿协商型政策工具为基础的政策组合，但此类政策措施侧重解决市场失灵等相关问题。由于企业以盈利为目的，因此在企业无利可图的情况下，市场化政策工具和自愿协商型政策工具对环境保护来说作用不大。陈玲和谢孟希（2021）认为，党和政府对环境保护的认识已由“以解决经济发展的环境负外部性”的从属性问题转变为“引领新的发展模式”的主动性战略。传统意义上的经济学家认为，环境规制对被规制的企业会产生负面作用，由于环境规制需要企业投入大量资产，从企业角度来看，这些是没有效率的。

环境问题往往是由人类行为产生的。首先，企业生产过程中的实际废弃物排放量与企业绿色技术创新具有密切的联系。在相同的条件下，企业绿色技术创新水平越高，废弃物排放量就会越低。其次，政府的监督有利于企业遵守相关的环境规制。由于企业绿色技术创新具有不确定性以及风险性高等特点，企业在产品生产过程中无法保证绿色技术创新能够带来正向利润。因此，当政府监管力度相对较弱时，企业会抵触绿色投资，甚至谎报废弃物排放量；相反，如果政府监管力度足够强，企业不敢对废弃物排放量进行谎报，因而能够增强企业的信息透明度，有利于政府对企业绿色技术创新进行有效监督，进而有效实施环境管制政策。因此，政府可以通过加强对企业实施环境规制的监管力度实现企业绿色技术创新的正向激励。从不同环境规制措施对企业绿色技术创新的激励效果来看，政府可以通过可交易排污许可证限制污染量，该制度与排污收税制度都是低成本高效率减少环境污染的方法。两者的差别是环境税建立在价格原则的基础之上，排污许可证交易建立在数量原则的基础上。若政府掌握企业错误的减污边际成本，则制定的目标与现实水平会有所偏差；若大量污染严重的企业处于转型时期，政府制定较高的环境税费，可能会导致过多的污染量和企业破产。在许可证制度下，政府和相关环保企业不参与排污权的市场交易，资源仅在私人间转移，最终形成有效的市场管理，对排污者进行清洁技术有明显的激励作用，而环境税是达到既定环保标准的方式。基于此，政府可以通过激励企业进行绿色技术创新和提高环境政策的严厉程度来降低企业污染排放。再次，解决企业污染谎报问题的主要途径是政府提高环境政策的严厉程度。若要求企业既做到减排又不谎报信息，政府则需要在提高环境政策严厉程度的同时加大对企业的监管力度。最后，在使用可交易排污许可的环境规制措施时，政府应对可交易排污许可数量进行有效控制，这样才能取得更好的政策效果。

经济结构的失衡威胁了中国经济增长的可持续性，通过环境成本内部化提高资源配置效率，并不能产生一条与更广泛的社会目标相一致的发展道路，即经济社会动态的可持续性。在这样的背景下，学者开始关注以绿色发展为核心的“绿色产业政策”的相关研究，强化企业环保主体责任，通过法律的完善和落实，处罚相应的环境违法行为，使企业环境行为的外部性内部化、守法常态化，企业落实达标排放责任，整合环境影响评价，因此要求生产、消费等环节具有一定的规范标准；并认为“绿色产业政策”在环境和社会生产生活方面影响巨大，是一个重要的工具。此外，环境政策和绿色产业政策之间虽在一些功能上有所差异，但在一部分内容上有重叠。例如，企业在生产过程中对环境的保护、废弃物排放量的限制以及资源能源消耗量的控制等方面，两者要求甚为相近。因此，只有涉及产业结构调整的环境政策才能被纳入绿色产业政策中。

3.1.2　社会形象

社会形象是在一定时间和环境条件下，公众对社会组织的精神面貌、行为特征、产品和服务等产生的印象、感情和认知等的综合体现。

不论是普通民众还是物流业的从业人员，对于绿色物流的创新和发展或多或少都有一定的认知，而物流企业作为整个社会物流系统中最重要的组成部分，其社会形象在一定程度上决定了企业的发展前途和命运。因此，企业注重环保，具有较强的社会价值和经济价值，可以树立良好的社会形象。

物流企业对内树立绿色物流理念，对外打造企业的绿色品牌，两者结合将形成良好的社会形象。魏倩（2014）认为，企业具有良好的社会形象，能够引导更多的消费者选择其绿色产品，提高企业的市场竞争力，扩大绿色产品的市场占有率。朱敏龄（2017）认为，具有绿色发展理念的物流企业会通过优化组织协作等方式降低生产运营成本和能源消耗，并利用信息技术实现物流资源的整合，使其嵌入整个物流链，以最小的资源消耗实现全面的服务；同时，还可以通过市场交易手段促成物流企业与废弃物回收利用企业的合作，构建废弃物回收的逆向物流体系。

3.1.3 公众媒体

随着社会科学技术的不断发展，信息化的生产生活方式给人们提供了巨大的便利。物流企业为了获得更强的市场竞争力，选择通过媒体向公众进行宣传。公众的环境意识及其相应的行为对环境保护计划的全面展开具有特别重要的意义，对绿色物流战略的实施同样具有不可替代的推动作用。坚持绿色消费方式的公众更愿意购买有利于保护生态环境的产品或服务。可以说，公众的绿色消费观念，能促使企业积极主动地提供绿色产品、绿色包装和绿色服务。

对物流企业来说，物流系统的绿色化将为企业赢得良好的环境声誉，从而使企业得到公众的认可，赢得更多的客户。随着传播媒体的多元化和普及化，反映公众心声的各类新闻机构在绿色观念的传播中发挥着越来越重要的作用。清洁的环境给公众带来的是新鲜的空气、洁净的水质、畅顺的交通、舒适的工作和生活环境，公众的环境意识及其相应的行为对绿色物流战略的实施具有不可替代的推动作用。

消费者为物流企业绿色创新活动提供了需求支持，降低了绿色创新活动的风险。例如，针对顾客对包装回收的需求，苏宁推出共享快递盒，对快递包装进行重复利用；同样，顾客对包装回收的需求为苏宁的共享快递盒提供了更多市场和盈利机会。公众在城市物流系统绿色化的过程中既起主导作用又起辅助作用。所谓主导作用，就是公众的行为对生态环境的影响作用显著；辅助作用就是公众对其他非法的、不利于环境的行为具有监督的作用。因此，公众首先要树立环保意识，具备较为丰富的环保知识。只有公众既具有环保意识又具有环保知识，才能正确行使公众的权利，履行应尽的义务。政府应当让公众的监督合法化，从法律制度层面加以界定，从而提升公众的监督作用。同时，公众应当从自身做起，从小事做起促进城市物流系统绿色化政策的实施。

3.1.4　市场结构生态化

物流业是包含运输、仓储、装卸、搬运、采购等多项功能的复合型产业。绿色物流成为物流行业发展潮流，绿色创新成为企业具备竞争优势的重要差异化来源。市场竞争白热化的背景之下，几乎每个行业都对环境污染程度和资源开发数量加以限制，即设立"绿色壁垒"。物流企业竞争者率先进行绿色创新活动，降低物流运作过程中的资源消耗进而降低成本，获得市场竞争优势。物流企业为了在激烈的市场中生存，不得不主动模仿绿色创新活动的标杆企业以获得更多的发展机会，将更多的资源投入绿色创新活动，以改善企业的绿色创新绩效。一方面，竞争者的绿色创新活动为物流企业带来了市场竞争压力；另一方面，其绿色创新活动在行业内营造了创新的氛围，降低了绿色创新的不确定性，其绿色创新组织管理方法、创新技术、知识和信息等资源为物流企业的创新提供了先进的经验，提高了企业开展绿色创新的积极性，对绿色创新绩效产生了正向影响。

如"菜鸟"运用智能打包算法对包装流程进行智能优化，提高了箱型的匹配度，节省了 15% 以上的包装耗材，降低了成本，提高了市场竞争力；京东为了在市场中保有竞争力，推出"青流计划"，联合供应链上游企业通过减少包装耗材和使用可循环包装等方式推行绿色包装。

3.2 物流企业绿色发展的内在驱动机理

3.2.1 成本效益

我国物流业发展速度很快，早在2010年，中国社会物流业总成本占GDP的比重为19%，比日本的这一数据高10%。随着“低碳”“绿色”逐渐成为人们关注的话题，物流成本中加入环境因素成为环境保护、节约资源的重要方法。绿色物流是指完成物流服务的同时减少对环境的破坏，提高物流资源的利用效率。绿色物流把满足客户的需求和服务放在第一位，因为加入了对环境规制的考量，所以物流成本成为考量指标之一。绿色物流成本比一般物流成本包含的意义更丰富，除了完成物流服务过程中所需要付出的代价和成本外，还加入了环境、能源方面的代价。

物流成本通常包括运输成本、库存成本、包装成本、装卸搬运成本、物流信息成本和物流管理成本。通常运输成本包括人工、燃料、过路、停车、运输工具的折旧和修理、保险等费用。运输成本中的绿色物流成本包括环境成本、机会成本和风险成本。环境成本包括运输过程中排放的废气、噪声污染等；机会成本包括物流设施设备的空载、闲置所导致的损失；风险成本包括人、货、设施设备的事故预防支出。库存成本的直接成本包括人工、水电、设施设备的购买和折旧费等；环境成本需要考虑所用杀虫剂等化学药品的污染、库存品的泄露和挥发情况；机会成本包括仓储设备的闲置损失；风险成本包括货物的损坏、丢失和缺货等成本。包装成本的直接成本包括人工、包装的消耗和折旧、包装标识的印刷与粘贴成本；环境成本包括包装废弃物对环境的影响和运输过程中包装的破损造成的泄露等成本；机会成本涉及过度包装导致的物流成本的增加情况；风险成本涉及包装不当和标识物不清晰对货物的损坏情况。装卸搬运的直接成本有人工成本，燃料成本，设施设备的折旧、维修成本；环境成本包括在装卸搬运途中货品的损坏和泄露对环境造成的危害成本；机会成本包括设施设备的闲置损失成本；风险成本包括装错、损伤货品的成本。物流信息的直接成本包括人工、物流信息设施设备的折旧、软件的购买、通信设施设备的购买等成本。物流管理的直接成本包括人工、管理设施设备的折旧和维修等成本。在上述成本中，只有物流信息成本和管理成本的投入基本上有固定成本。所以，物流成本的把控基本上要把重点放在物流各环节中，尤其是成本消耗较高的库存和运输环节。

物流成本中的环境成本具有较强的负外部性，所以如果没有较强的驱动作用，物流企业本身缺乏控制的动力，导致对这一成本的控制常常被忽视。所以，为了驱动物流企业主动对环境成本进行控制，政府应加强相关法律法规的制定，加大环保的宣传力度。政府可以先让物流界的龙头企业带头实施相关的环保措施，树立标杆。政府应针对不同的物流企业制定相应的标准，对环境保护较好的物流企业进行奖励，对排名靠后的企业进行惩罚。政府应实施加强立法的相关措施，严格执行法律法规。相信在政府、企业和市场的共同作用下，我国可以建立一个高效、绿色、环保的物流系统。

3.2.2　互动共生

“共生”这一概念最早来自生物领域，指的是在同一环境下不同种类生物之间相互依赖、共同生存。后来，许多学者将这一概念拓展到经济学、社会学等领域，其内涵变得更加丰富。共生在经济领域主要应用在 3 个层面：企业层面、企业集群层面和产业层面。企业共生理论指的是企业为了解决资源困难和其他企业建立共生关系，进行资源整合，打破行业的瓶颈，推动企业的可持续成长。

传统的制造企业有绿色转型的诉求。它们除了在产品研发、制造中力求减少对环境的影响外，在寻求物流合作商时也会选择绿色物流服务企业。物流服务商为制造企业等提供物流服务，负责把货物从工厂运送到客户手上，物流企业和有物流需求的企业存在互动共生的关系，彼此是相互依赖的。实施绿色化管理时，物流企业为制造业提供符合环保标准的特定物流服务，制造企业也会选择符合环保规定的物流企业满足消费者对绿色化产品和服务的需求。企业在相互协作时，应注意相互沟通和了解，以便物流企业能够充分了解制造企业对原材料、设备和服务的特殊要求。企业所处的位置不同，其需要承担的职责也不同，对绿色化的驱动强度也不同。绿色转型一定是整体的绿色化，并非单个企业的改变和责任。在实现绿色转型的过程中，物流企业与制造企业的资源对接有助于双方形成战略合作关系，实现横向联盟。通过与物流企业的合作，传统制造企业可以迅速响应消费者消费升级的需求，从而让消费者获得更好的绿色产品体验。物流企业通过绿色服务可以占领市场，扩大影响力，获得更多的合作机会和业务。

通过与前后端企业的互动共生，物流企业逐步建立起一种柔性的价值网络。通过跨行业、跨区域的合作，物流企业能够更好地使用外部资源，提升企业的物流服务水平，形成一种可持续发展的新业态。消费者关注的不仅是末端的绿色化水平，还有物流过程的绿色化水平。物流企业应通过学习和创新，引入绿色设施设备和技术，在做好物流服务的同时减少资源浪费。

3.2.3 高管绿色认知

高层管理者在企业中的地位举足轻重，在很多重大事项的裁决和企业文化建设上既是总设计师，也是倡导者。高层管理者因为在企业中具有重要地位，所以在驱动企业绿色转型上扮演着十分重要的角色。推行绿色管理方案时，如果没有高层管理者的带领和命令，只有资金投入的驱动，那么企业内部员工对这一决策将感到无所适从。所以，高层领导者的决策和指挥在方案实施的过程中是关键，高层管理者如果不管不问，那么就无法引起中层管理者和基层员工的重视，从而影响绿色方案的实施。因此，在公司范畴里绿色管理方案的实施首先要得到高层管理者的肯定和认同，这是绿色管理成功的必要因素。

管理者进行绿色管理的原因，从外部来看，包括消费者的绿色偏好或者政府的环境规制；从内部来看，为企业自发开始进行绿色供应链管理。目前，我国物流企业对于绿色供应链的管理处于起步阶段，物流的各流程对环境有很多“非绿色”现象。运输环节中交通工具的尾气排放量和运输工具发出的噪声对环境造成了污染。为了交通运输的畅通和便捷，大量道路的修建也占用了生态绿化空间，对生态平衡造成了破坏。物流保管环节的“非绿色”现象包括对物品进行化学养护时使用的一些化学喷剂，以及货品的腐烂、泄露等。物流包装环节中的“非绿色”现象则包括过度、过量使用包装，非标准化包装，或使用白色塑料。上述包装资源的浪费现象损害了企业的可持续发展。在物流的流通加工环节，对资源的过度浪费和消耗产生了“三废”等现象，对环境也具有危害。装卸搬运不规范、操作流程不当或者货品的损害会造成资源浪费，废弃物的回收处理不当破坏和浪费了环境资源。物流配送环节中车辆的配置不当、空车运行、配送路线不合理导致了能耗增加或者噪声污染等。在物流信息处理环节，物流信息的错误或者延误传递，导致了物品的损坏和霉变等。物流环节众多，其相互联系密切，所以高层管理者在处理这些环节时，要充分考虑细节问题，合理规划和实施方案，从根本上做到绿色转型，不要浮于表面。

目前，在绿色物流发展较快的国家，政府通常特别重视物流对环境的影响，重视环境资源的可持续发展。高层管理者为增强企业的竞争力，提升可持续发展水平，往往结合自身的具体情况、市场以及潜在合作企业的现实情况提出合理的绿色运营方案，选择合适的商业伙伴，对企业内部业务流程和组织结构进行商业重组，对供应链整体进行结构优化。在开展绿色供应链管理时，中层管理者和基层员工的配合和执行力同样可以影响目标的实现。以前，企业管理者往往觉得投身于环境管理是在做无用功，或即使进行环境管理也是被迫之举。如今的观点和以前完全不同，企业管理者更愿意投身环保事业来争取提高企业的竞争优势，进行绿色供应链管理也能为企业带来更加长远的利益和美誉。因此，高层管理者的绿色认知对物流企业的绿色管理和行为具有直接驱动作用。

3.2.4　供应链竞合关系

物流企业包含第三方物流服务商，它是独立于生产方、销售方的第三方，为供应链上的物流需求者提供物流服务。第三方物流企业是供应链的中间环节，它不生产实体产品而是帮助企业打通物资流通环节。第三方物流企业通过竞争可以取得有利的产业地位和资源集聚，提高物流效率；同时，实施竞争机制时，合作机制也在发挥作用。第三方物流企业之间的合作共赢可以构建相对和谐的产业发展环境。所以，合作与竞争的同时存在可以共同促进物流企业提高服务水平和服务质量。

在产业供应链上，第三方物流企业往往同其他物流企业、供应商、销售商、客户、同盟企业、竞争对手、新进入者和潜在对手等既存在竞合关系，也存在一定的依附联系。与第三方物流企业存在合作关系的有供应商、销售商、客户、同盟企业，存在竞争关系的有其他物流企业、竞争对手和潜在对手；与新进入者的关系无法确定。与供应商存在合作关系的有第三方物流企业，存在竞争关系的有相似的供应商、竞争对手；与销售商、客户、同盟企业、新进入者和潜在对手的关系无法确定。与销售商存在合作关系的有第三方物流、客户，与其他销售商存在竞争关系；与供应商、同盟企业、新进入者和潜在对手的关系不确定。与客户存在合作关系的有第三方物流、销售商，与供应商、客户、同盟企业、新进入者和潜在对手的关系无法确定。与同盟企业存在合作关系的有第三方物流、供应商、销售商、客户、同盟企业，与潜在对手存在竞争关系；与新进入者的关系无法确定。与新进入者存在合作关系的有销售商，除销售商外的关系无法确定。与潜在对手存在合作关系的有供应商、客户，与第三方物流、同盟企业存在合作关系；与销售商、竞争对手、新进入者和潜在对手的关系无法确定。经过上述分析，本书得出第三方物流与产业供应链的竞合机制是动态且复杂的，呈“网”状结构，相互联系、相互影响。

第三方物流企业如果实力较弱，一般会受到供应商的牵制；反之，如果供应商实力较弱，供应商会迁就第三方物流企业。在这种关系的促使下，供应商如果具有绿色偏好地选择环保的物流企业，会促使第三方物流企业提高环保意识、迎合其需求，从而谋求更长远的合作关系。

第三方物流企业与同盟企业的竞合关系会随着环境的变化而发生改变，两者不论是在竞争关系上还是在合作关系上都可以促进彼此的成长。如果第三方物流企业与竞争对手有较强的竞争关系，那么生存空间会受到压缩，从而淘汰一些不符合要求的企业。如果第三方物流企业在竞争关系上处于较强的位置，那么其可以利用自身实力拉开差距。物流服务中最重要的是企业与客户的关系，即把满足客户需求放在第一位，与客户形成战略合作关系。由于客户和市场对环保材料的重视和能源消耗的减少，客户会选择环保实力强的物流公司。产业供应链上竞合关系的存在，牵制了资源浪费行为，平衡了市场的发展。合理的竞合关系能够使第三方物流企业在激烈的国内外竞争中保持可持续发展。

第4章　物流企业绿色行为、动机及绩效的理论模型与假设

本章的内容主要包括以下几个方面。①根据相关理论，构建物流企业绿色行为、动机、绩效三者相关关系的概念模型；②根据国内外相关研究成果的综述，对物流企业绿色物流行为、动机、绩效的相关关系进行假设，便于后续研究的开展；③结合相关文献与专家访谈、实地调研结果，分别对物流企业的绿色物流动机、行为、绩效进行变量设计。

4.1　概念模型

根据动机理论和计划行为理论可以发现：物流企业绿色物流的动机与行为具有紧密且复杂的关系，笔者在文献分析的基础上发现企业绩效与员工行为密切相关。此外，笔者发现，物流企业所处地区的环境管制能力对其行为与绩效的关系产生了一定的影响。因此，综合这些信息，本书提出企业绿色动机因素可能会对物流企业绿色行为产生一定影响，进而对企业绩效产生一定影响。环境管制对企业的绿色行为与绩效起着调节作用。根据以上信息，本书构建概念模型，见图4－1。

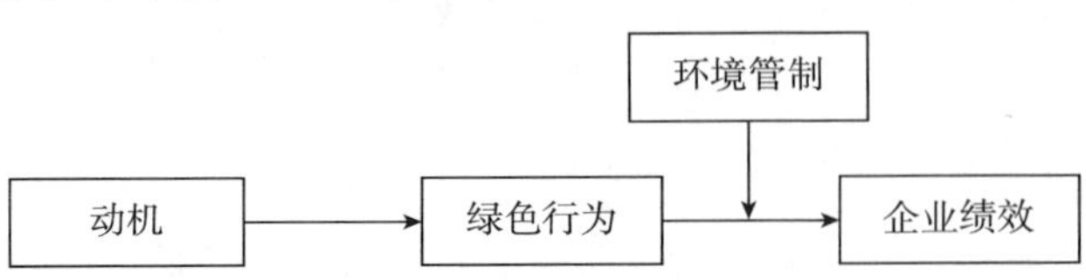

图4－1　本书概念模型

4.2　研究假设

根据国内外研究现状以及本书提出的概念模型，本部分提出以下假设。

假设 1：物流企业外部监督要求与绿色行为（包括绿色包装、绿色运输、内部绿色管理）显著相关。

外部监督会对物流企业产生压力。为了规避相关惩罚，物流企业会积极实施绿色物流，即物流企业受到的外部监督与物流企业绿色行为的产生方式、力度及成效显著相关。

假设 2：物流企业提升自身竞争力与绿色行为（包括绿色包装、绿色运输、内部绿色管理）显著相关。

企业追求的是利润最大化，企业绿色形象的提升可能会给物流企业带来更多的利润及可持续发展前景，提升企业在行业中的地位。因此，企业会自愿地实施绿色物流，即物流企业提升竞争力的需求与绿色物流行为（包括力度、成效等）显著相关。

假设 3：物流企业绿色包装行为与企业绩效（包括经济绩效、环境绩效）显著相关。

物流行业存在严重的包装物浪费现象，导致物流企业的利润下降。回收、循环利用包装物，使用环保、可降解的包装材料等行为都会降低物流成本，且会提升物流企业的公众形象，对企业绩效产生一定影响，即绿色包装行为的产生与企业绩效显著相关。

假设 4：物流企业绿色运输行为与企业绩效（包括经济绩效、环境绩效）显著相关。

物流行业是货物流通的行业，因此运输是最重要的环节之一。合理规划货物的运输路线，省时省力，进而可降低物流成本，包括人力成本、时间成本及资金成本，即绿色运输实施与企业绩效显著相关。

假设 5：物流企业内部绿色管理行为与企业绩效（包括经济绩效、环境绩效）显著相关。

目前，我国物流业较为混乱，缺乏规范管理，特别是企业内部的管理。在这种情况下，企业如果能够加强自身管理，实施全面的绿色物流战略，则会提升自身竞争力，提高企业绩效。因此，物流企业内部绿色管理行为会对企业绩效产生显著影响。

假设 6：物流企业的环境绩效对经济绩效具有显著影响。

具有更好环境绩效的企业可以优先形成创新技术优势。针对政府建立或完善的规范标准，企业可以快速响应市场需求并融入行业，这有利于其占领市场份额，并在行业中处于领先地位。通过绿色行为，企业可以提高资源利用率，降低环保规制成本及运输成本。从自然基础观（NRBV）来看，环境绩效必然会给企业带来竞争优势，而这种优势必然会转化成利润。因此，企业的环境绩效对经济绩效具有显著影响。

假设 7：环境管制正向调节物流企业绿色行为与企业绩效的关系。

物流企业虽然在实施绿色物流行为时会对企业的绩效产生一定的作用，但环境管制可以在一定程度上增加绿色物流行为对绩效产生的影响。在政府的合理环境管制下，商家会更倾向于具有绿色环保包装、绿色运输等行为的第三方物流企业，这有利于企业占据市场份额，提升管制水平，加快企业管理层研究低成本、低污染的生产技术和管理方法，使物流企业的绩效得到进一步提升。因此，政府的环境管制在一定程度上会调节物流企业的绿色行为与绩效的关系。

4.3 操作变量设计

4.3.1 物流企业绿色物流动机分析

根据动机理论，动机分为内部动机和外部动机。需求是激发个人进行各种活动的内部动力。内部动力是由需求产生的。动机和需求密切相关。离开需求的动机是不存在的。需求强大时，就会产生动力。因此，物流企业的绿色物流行为动机可以分为主动和被动两类。主动激励因素来自企业，目的是保持自身的竞争力和良好形象；被动激励因素来自环境法律法规的约束和公众的监督。

物流企业作为“第三利润源”，一直追求的是企业利润最大化，在物流企业运作过程中，绿色物流能够提高资源利用率，节省企业的成本；提升物流服务的绿色满意度，占据市场份额；创新绿色科技，提升企业形象，增强竞争力。基于以上优势，物流企业实施绿色物流的意愿会变得异常强烈，由此产生物流企业实施绿色行为的内部动力。

此外，在物流企业运作的过程中，外部因素的作用不可忽视，由此成为物流企业实施绿色物流的外部动力。影响物流企业的外部因素主要来自 3 个方面。①政府：环境法律的监管、绿色补贴及税收减免；②行业：行业法规及标准、同行的竞争；③消费者（公众）：消费者的绿色需求、公众的绿色舆论监督等。

本书结合物流企业的现状，从外部监督和提升竞争力两个方面对企业绿色物流的激励动机进行测量。物流企业绿色物流动机的具体测量内容如表 4－1 所示。

表 4－1　物流企业的绿色物流动机测量

动机	编号	内容
外部监督（*ES*）	*ES*1	中国政府的环境法律与监管要求，企业必须遵守
	*ES*2	地方与行业相关行政部门的政策法规会促使企业建立绿色物流管理体系
	*ES*3	地方政府提供绿色补贴及税收减免，企业愿意回收纸箱等包装物
	*ES*4	为避免废弃包装物过多遭到周边居民的投诉，企业应改进废物处理系统
提升竞争力（*EC*）	*EC*1	供应商等合作伙伴要求或激励企业采用绿色环保包装
	*EC*2	行业竞争者大多建立绿色管理战略
	*EC*3	树立企业的绿色环保形象，提高企业的竞争力，积极对环境管理进行认证
	*EC*4	提高资源利用率，如提高汽车装载率、采用循环包装等

4.3.2　物流企业绿色物流行为分析

不同企业实施绿色物流的动机不同，由此引发的绿色行为及结果也是不同的。本书通过对地方物流企业的实地调研及对相关专家的访谈，从物流的包装、运输、内部环境管理 3 个方面总结现有绿色物流的行为方式，这些行为涉及物流企业运作的众多方面，具有代表性。具体的物流企业绿色行为量表如表4－2所示。

表4－2　物流企业绿色物流行为量表

行为	编号	内容
绿色包装（*GP*）	*GP*1	使用环保可重复使用的包装物和容器
	*GP*2	回收客户使用过的可循环利用的包装物并重复使用
	*GP*3	最大限度地减少包装用量
	*GP*4	研发设计可降解的绿色环保包装材料
绿色运输（*GT*）	*GT*1	优化运输路线，减少里程
	*GT*2	合理改变运输方式，采用多式联运等
	*GT*3	通过驾驶行为和燃料消耗评估确保驾驶员的环保驾驶
	*GT*4	使用新能源等现代节能汽车
内部绿色管理（*GM*）	*GM*1	制定绿色管理战略，建立绿色管理体系
	*GM*2	开展员工环境保护知识培训
	*GM*3	积极对环境管理进行认证，例如，ISO 14001等
	*GM*4	采取鼓励员工改善环境绩效的激励措施
	*GM*5	实时监控评估企业的环境绩效

4.3.3　物流企业绩效分析

在文献回顾的过程中，笔者发现，多数学者对企业绩效进行评价时选取的指标可以分为两个方面：环境绩效和经济绩效。环境绩效是指一个组织基于其环境方针、目标、指标，控制其环境因素所取得的可测量的环境管理体系成效，用来表示与工作努力程度和工作质量有关的实际环境后果，是评定环境政策的最终标准。经济绩效主要是指对经济与资源分配以及与资源利用有关的效率的评价。本书与众多文献研究一致，选取环境绩效和经济绩效来测量企业的绩效。环境绩效和经济绩效的具体测量内容如表4－3所示。

表4－3　物流企业绩效量表

绩效	编号	内容
经济绩效（*EP*）	*EP*1	产品及服务的总销售额
	*EP*2	市场份额
	*EP*3	企业的销售利润

续表

绩效	编号	内容
环境绩效（*ET*）	*FP*1	减少企业的能源消耗
	*FP*2	减少"三废"的排放
	*FP*3	减少车辆的行驶里程
	*FP*4	更多包装物得到回收，得以循环使用
	*FP*5	客户满意度得到提高
	*FP*6	企业的公众绿色认同度得到提高

第 5 章　物流企业绿色行为与绩效关系的实证分析

本章为物流企业绿色物流行为与绩效的具体实证研究。首先，对调查问卷的设计、发放、回收状况进行简单描述；其次，对回收的数据进行简单的描述性统计分析、信度分析、效度分析，说明该调查问卷的合理性；再次，对物流企业绿色物流动机、行为、绩效进行简单相关分析，在此基础上构建三者关系的结构方程模型；最后，运用层次回归分析法对环境管制的调节作用进行验证。

5.1　问卷设计

基于探讨物流企业绿色行为与动机以及企业绩效相关关系的目的，本书的问卷设计参考国内外经典文献，并在此基础上选取具有代表性的物流企业进行调研，对物流企业的高层管理者进行深入访谈，最后经过预测试确定正式问卷（见本书附录）。问卷共分为 4 个部分：第一部分是对物流企业基本信息进行的简单调查，第二、三、四部分采用李克特（Likert）5 级量表分别对物流企业的绿色行为动机、具体行为以及企业绩效进行调查，目的在于调查物流企业的绿色行为、动机与绩效的具体状况。

本书按照东、中、西部 3 个经济区域，选取具有代表性的物流企业，在全国范围内发放问卷。调查内容包括物流企业基本状况、绿色行为动机、绿色行为以及企业绩效。因调查对象需要对企业的具体绿色行为及企业绩效有较详细的了解，故调查对象主要为物流企业的中高层管理人员。由于所调查企业遍布全国各地，因此主要采用邮寄、电子邮件等方式发放问卷。

本次研究共发放问卷 250 份，回收问卷 236 份，问卷回收率为 94.4%，剔除无效问卷 13 份，剩余 223 份为有效问卷，问卷的有效率为 94.5%。问卷设计如表 5-1 所示。

表 5-1　问卷设计结构

分类	问卷结构	题项编号
第一部分	物流企业基本状况	9
第二部分	绿色行为动机	8
第三部分	绿色行为	13
第四部分	企业绩效	9

5.2　描述性结果分析

5.2.1　企业特征的描述性结果分析

1. 企业类型特征

本书对有效回收的 223 个物流企业的企业类型特征进行统计，结果如表 5-2所示。

表 5-2　物流企业状况

项目	特征描述	频次（次）	占比（%）
注册类型	国有或国有控股企业	83	37.22
	外商独资企业	24	10.76
	中外合资企业	17	7.62
	民营企业	99	44.39
企业规模	100 人以下	41	18.39
	100～200 人	38	17.04
	201～500 人	56	25.11
	500 人以上	88	39.46
企业运营期	1～5 年	57	25.56
	6～10 年	98	43.95
	超过 10 年	68	30.49

在物流企业注册类型中，民营企业的数量最多，共有99 家，占总样本

比重为44.39%；其次是国有或国有控股企业，共有83家，占总样本比重为37.22%；外商独资与中外合资的物流企业相对较少，分别有24家和17家，总占比为18.38%，符合国内物流企业注册类型的基本特征。

在物流企业规模中，占比最高的为500人以上的企业，共有88家，占总样本比重为39.46%。其次是201~500人的企业，共有56家，占总样本比重为25.11%。此次调查中，100~200人与100人以下物流企业的占比相近，分别为17.04%和18.39%，符合本次调查范围内物流行业企业的规模特征。

在此次调查的物流企业中，有57家的运营期为1~5年，占总样本比重为25.56%。运营期为6~10年的物流企业有98家，占总样本比重最大，为43.95%。运营期超过10年的物流企业有68家，占样本总数的30.49%。

2. 物流企业服务特征

在被调查的223家物流企业中，企业的性质分布如图5-1所示。在223家物流企业中，货运企业数量最多，占比达到50.67%，共计113家；其次是快递、配送企业，占比达18.39%；综合型物流企业最少，有15家，占总样本的比重为6.73%；储运企业共有23家。可以看出，目前物流企业大多数为货运企业和快递、配送企业。

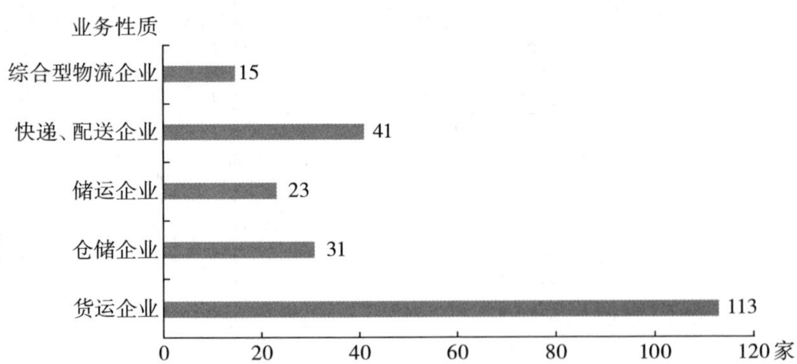

图5-1　物流企业业务性质分布

在所有被调查的物流企业中，企业主要服务的行业分布如图5-2所示。从图5-2中可以看出，服务最多的是食品行业以及日用品行业，各有

67 家，各自占总样本的 30.04%；其次是农产品行业和化工行业，分别有 56 家和 48 家，占比分别为 25.11% 和 21.52%。家电、电子，烟草，医药，图书等行业只有少量分布。

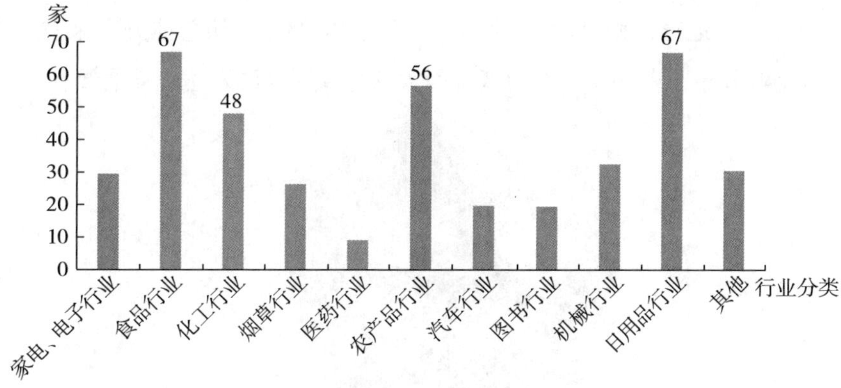

图 5-2　物流企业服务行业分布

物流企业的运输方式分布如图 5-3 所示。从图 5-3 中可以看出，在所调查的 223 家物流企业中，其运输方式中都有公路，说明物流企业的运输方式以公路为主；其次是铁路，共计 89 家，占比达 39.91%；有 32 家物流企业运输方式为多式联运，占总数的 14.35%；航空运输费用较高，因此采用的企业较少，共计 26 家，占总数的 11.66%；企业最少采用的是水运，只有 6 家，仅占总比重的 2.69%，这是因为大多数物流企业认为水路运输不方便。

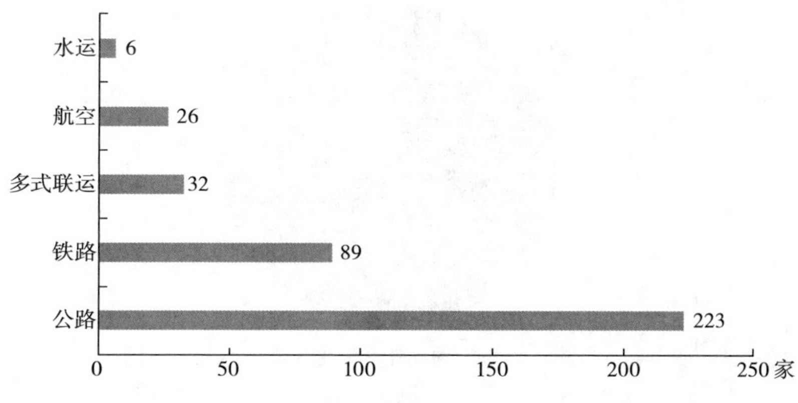

图 5-3　物流企业运输方式分布

3. 物流企业地域特征

本书调查的物流企业的经济区域分布如图 5 - 4 所示。89 家物流企业处于东部地区，占总数的 39.91%；91 家在中部地区，占总数的 40.81%；而只有 43 家处于西部地区，相对较少，仅占总数的 19.28%。从总体分布来看，大多数物流企业分布在东部及中部地区，因为这些地区经济发达、交通便利。

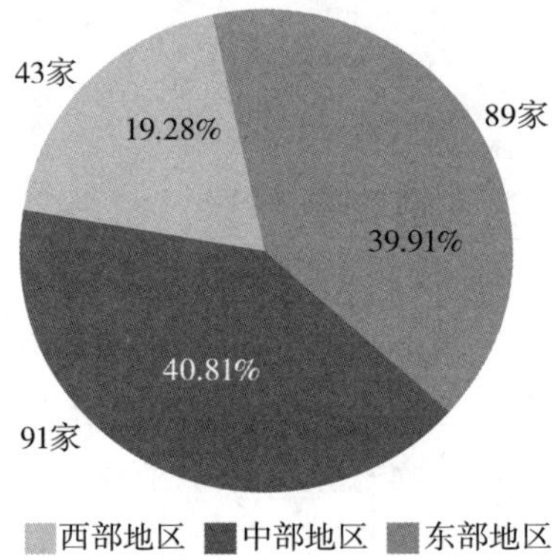

图 5 - 4　物流企业经济区域分布

本书调查的物流企业地理位置分布如图 5 - 5 所示。31 家物流企业位于中心城市，占样本总数的 13.90%；47.53% 的物流企业位于一般城市，共计 106 家；74 家物流企业位于郊区，占样本总数的 33.18%；5.38% 的物流企业位于农村，共计 12 家。从总体分布来看，多数物流企业位于一般城市或者郊区，因为这些地区交通便利且租金便宜。

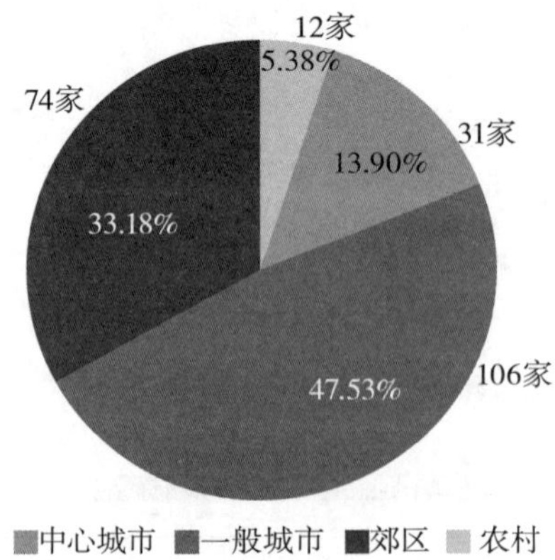

图 5 - 5　物流企业地理位置分布

本书调查的物流企业所属政府的环保政策约束状况如图5-6所示。86家物流企业认为所属政府的环境管制力非常弱或比较弱，占样本总数的38.57%；17.94%的企业认为当地政府的环保政策约束力一般，共计40家；97家企业认为，当地政府的环境管制能力比较强或者是非常强，占样本总数的43.50%。从总体分布来看，大部分物流企业所属政府的环境管制能力还是较强的，对物流企业的绿色发展起到了监督作用。

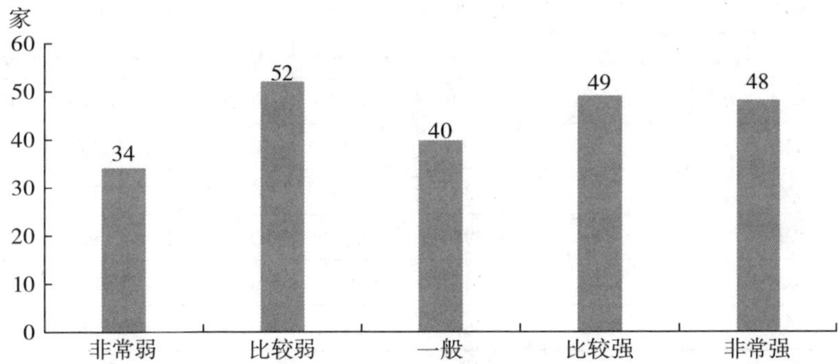

图5-6　物流企业所属政府的环保政策约束力状况

5.2.2　物流企业绿色行为、动机及其绩效描述性结果分析

描述性统计分析主要是计算样本数据的平均值、标准差、偏度及峰度。平均值和标准差用于描述动机、行为及绩效的各测量题项，这些变量体现了企业的不同发展水平。偏度和峰度是检验数据分布结构的重要指标，偏度显示样本数据的平坦度，而峰度反映了样本数据分布的对称性和集中度。

为了给样本数据提供更直接的判断依据，本书采用SPSS20.0对样本数据进行统计和处理，分别研究物流企业绿色行为、动机及绩效样本数据的平均值、标准差、偏度和峰度分布特征等指标。物流企业绿色行为、动机及其绩效描述性结果分析如表5-3、表5-4和表5-5所示。

表5-3　绿色行为描述性结果

绿色行为动机	平均值	标准差	偏度		峰度	
	统计	统计	统计	标准误差	统计	标准误差
*GP*1	3.84	1.186	-0.730	0.163	-0.513	0.324

续表

绿色行为动机	平均值	标准差	偏度		峰度	
	统计	统计	统计	标准误差	统计	标准误差
*GP*2	3.70	1.133	-0.345	0.163	-1.072	0.324
*GP*3	3.64	1.240	-0.449	0.163	-0.949	0.324
*GP*4	3.70	1.168	-0.422	0.163	-1.004	0.324
*GT*1	3.70	1.113	-0.274	0.163	-0.987	0.324
*GT*2	3.83	1.256	-0.766	0.163	-0.610	0.324
*GT*3	3.79	1.165	-0.600	0.163	-0.700	0.324
*GT*4	3.58	1.249	-0.446	0.163	-0.944	0.324
*GM*1	3.22	1.399	-0.118	0.163	-1.267	0.324
*GM*2	3.20	1.438	-0.186	0.163	-1.302	0.324
*GM*3	3.15	1.395	-0.056	0.163	-1.306	0.324
*GM*4	3.10	1.340	0.037	0.163	-1.170	0.324
*GM*5	3.16	1.366	-0.156	0.163	-1.170	0.324

表 5-4　绿色行为动机描述性结果

绿色行为动机	平均值	标准差	偏度		峰度	
	统计	统计	统计	标准误差	统计	标准误差
*ES*1	3.77	1.157	-0.494	0.163	-0.902	0.324
*ES*2	3.76	1.202	-0.512	0.163	-0.927	0.324
*ES*3	3.81	1.152	-0.579	0.163	-0.734	0.324
*ES*4	3.74	1.160	-0.421	0.163	-1.037	0.324
*EC*1	3.66	1.223	-0.546	0.163	-0.724	0.324
*EC*2	3.69	1.189	-0.485	0.163	-0.864	0.324
*EC*3	3.80	1.161	-0.619	0.163	-0.725	0.324
*EC*4	3.77	1.215	-0.668	0.163	-0.626	0.324

表 5-5　企业绩效描述性结果

企业绩效	平均值	标准差	偏度		峰度	
	统计	统计	统计	标准误差	统计	标准误差
*EP*1	3.25	1.417	-0.204	0.163	-1.295	0.324
*EP*2	3.12	1.351	-0.148	0.163	-1.166	0.324
*EP*3	3.19	1.389	-0.240	0.163	-1.195	0.324

续表

企业绩效	平均值	标准差	偏度		峰度	
	统计	统计	统计	标准误差	统计	标准误差
*FP*1	3.63	1.205	-0.296	0.163	-1.204	0.324
*FP*2	3.74	1.195	-0.620	0.163	-0.652	0.324
*FP*3	3.74	1.225	-0.564	0.163	-0.918	0.324
*FP*4	3.75	1.237	-0.588	0.163	-0.881	0.324
*FP*5	3.74	1.222	-0.438	0.163	-1.104	0.324
*FP*6	3.65	1.282	-0.529	0.163	-0.892	0.324

从表 5-3、表 5-4 和表 5-5 中可以看出，绿色行为、动机和绩效的样本数据偏度系数绝对值均小于 1，而 Pearson 认为，当偏度系数的绝对值高于 1 时，可以认为偏度分布较高，且偏度系数绝对值小于或等于 1 的样本数据近似服从正态分布。因此可以说，样本数据近似服从正态分布，可以在正态分布下分析和描述这些样本数据。

5.3　信度与效度分析

本节主要确定数据是否可用于测量模型和结构方程模型，故本部分对数据进行信度和效度分析，即检验变量的测量是可以接受的。

信度分析主要是检验量表在测量相关变量时是否具有一致性和稳定性。调查问卷的信度也就是问卷的可靠性，是指采用同样的方法对同一对象重复测量时所得结果的一致性程度，也就是反映实际情况的程度。信度分为内在信度和外在信度。外在信度是指在不同时间内测量量表的一致性程度；内在信度指的是每一个量表测量是否单一，以及量表各题项的内在一致性程度。根据 Nunally（1967）的结论，Cronbach's α 的系数值达到 0.50 以上符合信度要求，达到 0.70 以上则为高信度值。研究中通常用组合信度（Composite Reliability，CR）和平均可萃取方差值（Average Variances Extracted，AVE）来检测量表的信度，一般要求组合信度 CR 达到 0.7，平均萃取方差 AVE 达到 0.5，则说明该测量量表具有较高的信度（Hair et al.，1998）。

本书运用 SPSS22.0 来计算 Cronbach's α 系数，具体内容如表 5-6 所示。

表5-6 样本信度分析

特征变量	Cronbach's α	指标数量
外部监督	0.839	4
提升竞争力	0.866	4
绿色包装	0.849	4
绿色运输	0.871	4
内部绿色管理	0.888	5
经济绩效	0.833	3
环境绩效	0.909	6

从表5-6中可以看出，外部监督、提升竞争力、绿色包装、绿色运输、内部绿色管理、经济绩效、环境绩效的Cronbach's α均在0.800以上，根据Nunally（1967）的结论，这些数值达到了信度要求，说明测量指标的可靠性比较好，此量表予以采用。由此可见，本书数据具有很好的信度。

效度分析是准确测量变量时需要测量的程度，它可以检验测量结果的准确性。效度系数越高，则表明测量结果与研究要考察的内容越吻合。本书主要从内容效度和结构效度进行分析。

（1）内容效度。内容效度反映的是量表内容与研究主题的契合程度。如果量表的测量内容涵盖研究计划包括的所有内容，则可以认为该量表是具有良好的内容效度的。本书问卷以绿色物流的理论为基础，参考国内外许多学者的问卷及变量设置，经过专家访谈、企业调研，根据实际情况加以修改，因此，符合内容效度的要求。

（2）结构效度。结构效度指检验量表能否真正测量所需变量，结构效度又分为收敛效度和区分效度。收敛效度指同一变量的不同指标应具有高度显著的相关性。因子分析是一种十分重要的社会统计方法，可以用来测量指标的结构效度。因子分析中的因子载荷量和显著性通常被用来检验结构效度，具体有两种判别方法：验证性因子分析（变量显著，因子载荷量基本达到0.70）和探索性因子分析（变量显著，因子载荷量基本达到0.50）。

（3）基本拟合标准。

①测量误差不能有负值。

②各指标的因子载荷量必须为0.500~0.950。

③测量误差必须显著。

④标准误差不能太大。

（4）整体模型拟合。

①绝对拟合度是指确定模型可以预测协方差矩阵和相关矩阵的程度，包括卡方值比率（CMIN/DF）、拟合度指标（GFI）、平均近似值误差平方根（RMSEA）等指标。

②简约拟合度是指评价模型的简约程度，包括简约基准拟合指标（PNFI）和简约拟合指标（PGFI）。

③增值拟合度是指理论模型与虚无模型的对比结果，包括Bentler-Bonett非规范拟合指数（TLI）、增值适配指数（IFI）、比较拟合指标（CFI）等。指标评价标准如表5-7所示。

表5-7　整体模型拟合度评价标准

指标	绝对拟合度		简约拟合度		增值拟合度		
	CMIN/DF	RMSE	PGFI	PNFI	CFI	IFI	TLI
判断标准	<2.000	<0.900	>0.500	>0.500	>0.900	>0.900	>0.900

本书运用AMOS20.0对变量进行验证性因子分析，构建验证性因子分析的结构模型，测量模型运行时的各项指标，其结果如表5-8所示。从表5-8可以看出，根据整体模型拟合度评价标准，测量模型的拟合度指标均符合适配标准，说明验证性因子分析测量模型拟合程度较好。

表5-8　SEM模型适配度指标

指标	CMIN/DF	RMSEA	PGFI	PNFI	IFI	TLI	CFI
数值	1.204	0.030	0.731	0.777	0.977	0.974	0.977
判断标准	优	优	优	优	优	优	优

收敛效度结果如表5-9所示，验证性因子分析样本数据标准化后的因子载荷值均大于0.500，且大部分大于0.700，同时都在P<0.001的情况下显著成立，说明外部监督、提升竞争力、绿色包装、绿色运输、内部绿

色管理、经济绩效、环境绩效维度的因素构建收敛效度较好。组合信度CR分别为0.841、0.866、0.851、0.873、0.889、0.834、0.910，都大于0.700，这说明外部监督、提升竞争力、绿色包装、绿色运输、内部绿色管理、经济绩效、环境绩效维度的构建信度良好。平均提炼方差*AVE*分别为0.571、0.619、0.590、0.632、0.615、0.626、0.627，都大于0.500，说明测量模型的收敛效度良好。综合以上指标可以说明，本书的测量模型具有较好的收敛效度。

表5-9　收敛效度

题项	因子载荷	S. E.	P	AVE	组合信度CR
外部监督（*E3*）				0.571	0.841
中国政府的环境法律与监管要求，企业必须遵守	0.810	0.097	***		
地方与行业相关行政部门的政策法规促使企业建立绿色物流管理体系	0.679	0.099	***		
地方政府提供绿色补贴及税收减免，企业愿意回收纸箱等包装物	0.776	0.095	***		
为避免废弃包装物过多遭到周边居民投诉，企业应改进废物处理系统	0.751				
提升竞争力（*EC*）				0.619	0.866
供应商等合作伙伴要求或激励企业采用绿色环保包装	0.831	0.100	***		
行业竞争者大多建立绿色管理战略	0.801	0.097	***		
树立企业的绿色环保形象，提高企业的竞争力，积极对环境管理进行认证	0.783	0.094	***		
为提高资源利用率，如提高运输汽车装载率、采用循环包装等	0.728				
绿色包装（*GP*）				0.590	0.851
使用环保可重复使用的包装物和容器	0.709				
回收客户使用过的可循环利用的包装物并重复使用	0.742	0.100	***		
最大限度地减少包装用量	0.771	0.110	***		

续表

题项	因子载荷	S. E.	P	AVE	组合信度 CR
研发设计可降解的绿色环保包装材料	0. 844	0. 106	***		
绿色运输（*GT*）				0. 632	0. 873
优化运输路线，减少里程	0. 820				
合理改变运输方式，采用多式联运等	0. 722	0. 087	***		
通过驾驶行为和燃料消耗评估确保驾驶员的环保驾驶	0. 771	0. 079	***		
使用新能源等现代节能汽车	0. 861	0. 083	***		
内部绿色管理（*GM*）				0. 615	0. 889
制定绿色管理战略，建立绿色管理体系	0. 740				
开展员工环境保护知识培训	0. 821	0. 095	***		
积极对环境管理进行认证，如 ISO 14001 等	0. 741	0. 093	***		
采取鼓励员工改善环境绩效的激励措施	0. 762	0. 089	***		
实时监控评估企业的环境绩效	0. 852	0. 090	***		
经济绩效（*EP*）	.			0. 626	0. 834
产品及服务的总销售额	0. 799				
市场份额	0. 825	0. 100	***		
企业的销售利润	0. 748	0. 097	***		
环境绩效（*FP*）				0. 627	0. 910
减少企业的能源消耗	0. 759				

注：＊＊＊表示在 0. 1 水平（单侧）上显著相关；＊＊表示在 0. 01 水平（单侧）上显著相关；＊表示在 0. 05 水平（单侧）上显著相关。

5. 4 相关分析

双变量相关性分析，即简单相关分析，主要用于两个或多个变量的相关分析。如果是两个变量的相关分析，系统直接可以给出相关结果。如果是多变量的相关分析，系统将给出变量间两两相关分析的结果。本节运用 SPSS20. 0 对物流企业绿色行为与激励动机、绿色行为与企业绩效进行简单的双变量相关性分析。

根据假设检验的基本思想，简单相关分析统计基本步骤如下。

（1）根据判断检验的目标，提出基本假设 H0：两个总体之间有显著的线性关系；备择假设 H1：两个总体之间没有显著的线性关系。

（2）计算检验统计量：利用收集到的样本数据，根据不同的相关系数计算方法，计算该检验的统计量。

（3）根据该统计量的值得到对应的相伴概率值。某统计量的相伴概率是指该检验统计量在某个特长的极端区域取值在 H0 成立时的概率。

（4）做出判断。给定一个显著性水平 α，如果相伴概率值小于或等于显著性水平 α，则拒绝 H0，认为两个总体之间不存在显著的线性关系；反之，如果相伴概率值大于给定的显著性水平 α，则接受 H0，认为两个总体之间存在显著的线性关系。而对于样本相关系数 r 的判断标准如下：若 r 值大于 0，则两个样本呈现正相关关系；若 r 小于 0，则两个样本呈现负相关关系。

5.4.1 物流企业绿色动机与行为相关分析

对绿色动机的 2 个维度与绿色行为的 3 个维度进行相关分析，确定绿色动机与绿色行为的产生之间是否有相关关系以及关联程度如何。结果如表 5－10 所示。

表 5－10 绿色动机与行为相关分析

绿色行为	显著性检验	外部监督	提升竞争力	绿色包装	绿色运输	内部绿色管理
外部监督	皮尔逊相关性	1.000	0.186**	0.298**	0.138*	0.026
	显著性（双尾）		0.005	0.000	0.040	0.695
提升竞争力	皮尔逊相关性	0.186**	1.000	0.249**	－0.023	0.305**
	显著性（双尾）	0.005		0.000	0.736	0.000
绿色包装	皮尔逊相关性	0.298**	0.249**	1.000	0.079	0.067
	显著性（双尾）	0.000	0.000		0.243	0.321
绿色运输	皮尔逊相关性	0.138*	－0.023	0.079	1.000	－0.012
	显著性（双尾）	0.040	0.736	0.243		0.857
内部绿色管理	皮尔逊相关性	0.026	0.305**	0.067	－0.012	1.000
	显著性（双尾）	0.695	0.000	0.321	0.857	

注：** 表示在 0.01 水平（单侧）上显著相关；* 表示在 0.05 水平（单侧）上显著相关。

从表5－10可以看出，绿色动机的两个维度——外部监督和提升竞争力与绿色包装在显著性水平大于0.01时，均显著相关，关联度较大的是外部监督。外部监督与绿色运输之间的 p 值为0.040，其显著性水平 α 为0.050，$p<\alpha$，相关系数 $r=0.138>0$，说明外部监督对绿色运输有显著正影响。提升竞争力与绿色运输的 p 值为0.736，其显著性水平 α 为0.050，$p>\alpha$，说明提升竞争力对绿色运输无显著影响。外部监督与内部绿色管理的 p 值为0.695，显著性水平 α 为0.050，$p>\alpha$，说明外部监督对内部绿色管理无显著影响；提升竞争力与内部绿色管理的 p 值为0.000，显著性水平 α 为0.01，$p<\alpha$，相关系数 $r=0.305>0$，说明提升竞争力对内部绿色管理具有显著正影响。总的来看，物流企业绿色动机对绿色行为的产生是有显著影响的。

5.4.2　物流企业绿色行为与绩效相关分析

本部分对绿色行为的3个维度与企业的经济绩效和环境绩效进行相关分析，确定绿色行为与企业绩效是否有显著影响关系以及影响程度如何，结果如表5－11所示。

表5－11　绿色物流行为与企业绩效相关分析

绿色行为	显著性检验	绿色包装	绿色运输	内部绿色管理	经济绩效	环境绩效
绿色包装	皮尔逊相关性	1.000	0.079	0.067	0.333**	0.281**
	显著性（双尾）		0.243	0.321	0.000	0.000
绿色运输	皮尔逊相关性	0.079	1.000	－0.012	0.404**	0.370**
	显著性（双尾）	0.243		0.857	0.000	0.000
内部绿色管理	皮尔逊相关性	0.067	－0.012	1.000	0.021	0.255**
	显著性（双尾）	0.321	0.857		0.756	0.000
经济绩效	皮尔逊相关性	0.333**	0.404**	0.021	1.000	0.297**
	显著性（双尾）	0.000	0.000	0.756		0.000
环境绩效	皮尔逊相关性	0.281**	0.370**	0.255**	0.297**	1.000
	显著性（双尾）	0.000	0.000	0.000	0.000	

注：**表示在0.01水平（单侧）上显著相关；*表示在0.05水平（单侧）上显著相关。

从表5－11可以看出，绿色包装与经济绩效的p值为0.000，显著性水平α为0.010，$p<\alpha$，相关系数$r=0.333>0$，绿色包装对经济绩效具有显著正影响；绿色运输与经济绩效的p值为0.000，显著性水平α为0.010，$p<\alpha$，相关系数$r=0.404>0$，说明绿色运输对经济绩效有显著正影响；内部绿色管理与经济绩效的p值为0.756，显著性水平α为0.050，$p>\alpha$，说明内部绿色管理对经济绩效无显著影响；环境绩效与经济绩效的p值为0.000，显著性水平α为0.050，$p<\alpha$，说明环境绩效对经济绩效有显著影响。绿色包装与环境绩效的p值为0.000，显著性α为0.010，$p<\alpha$，相关系数$r=0.281>0$，说明绿色包装对环境绩效有显著正影响；绿色运输与环境绩效的p值为0.000，显著性水平α为0.010，$p<\alpha$，相关系数$r=0.370>0$，说明绿色运输对环境绩效有显著正影响；内部绿色管理与环境绩效的p值为0.000，显著性α为0.010，$p<\alpha$，相关系数$r=0.255>0$，说明内部绿色管理对环境绩效有显著正影响；经济绩效与环境绩效的p值为0.000，显著性水平α为0.010，$p<\alpha$，相关系数$r=0.275>0$，说明经济绩效对环境绩效有显著正影响。环境绩效与经济绩效的有效性p值为0.000，显著性水平α为0.010，$p<\alpha$，相关系数$r=0.297>0$，因此物流企业的环境绩效与经济绩效显著正相关。总体来看，物流企业绿色行为的产生对企业的绩效是有显著影响的，其中对环境绩效的影响最大。

5.5 物流企业绿色行为、动机与绩效结构方程模型分析

结构方程模型（Structural Equation Modeling，SEM）建立在回归模型（Regression Models）的基础上，是针对潜变量（Latent Variables）的统计方法。结构方程模型的思想源于20世纪20年代Sewll Wright提出的路径分析概念，它是行为、心理、教育和社会科学等学科在实际应用中发展出来的一个研究方向，有人也称之为联立方程模型、因果模型等。结构方程模型体现了潜在的外生变量和内生变量的因果关系，这种因果关系以结构图方式展现出来就是路径图。结构方程模型可以同时处理多个特征变量并允许存在测量误差，因此在国内外学术研究领域应用较为广泛。

本书通过构建相关关系的结构方程模型，进一步探索物流企业绿色行为、绿色动机、企业绩效的关系。本书对结构方程模型的所有估计均用 AMOS20.0 软件完成，通过运用 AMOS20.0 构建结构方程模型，采用最大似然估计（ML）对模型进行估计，验证性因素分析中评价模型与数据拟合程度是常用的拟合指标。构建结构方程模型的拟合指标如表5－12所示，拟合指数均优于模型可被接受的参考值。标准化路径系数如图5－7所示。

表5－12　SEM 模型适配度指标

指标	CMIN/DF	RMSEA	PGFI	PNFI	IFI	TLI	CFI
数值	1.191	0.029	0.745	0.792	0.978	0.976	0.978
判断标准	优	优	优	优	优	优	优

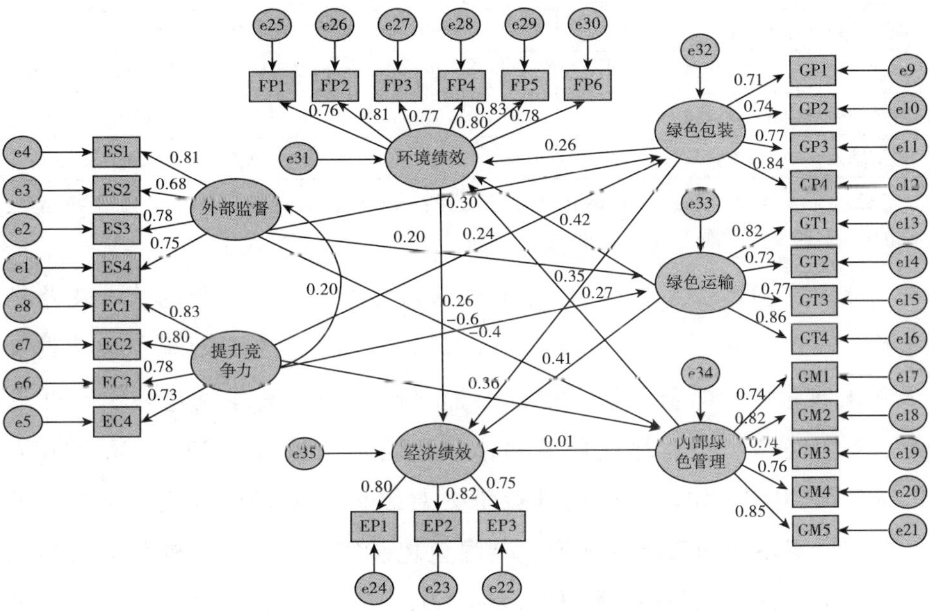

图5－7　初始结构方程模型

根据本书上文提到的模型评价标准，从图5－7可以看出，该模型各项指标标准化之后的因子载荷均高于0.50，且大部分高于0.70；测量误差在合理范围内，且都大于0。从表5－12可以看出，整体模型拟合指标均符合该结构方程模型的评价标准，综合认为假设模型的整体拟合度较好。

路径检验的结果如表 5－13 所示。

表 5－13 路径检验结果

影响关系	系数	S. E	C. R	p	标准化系数	验证结果
绿色包装←外部监督	0. 292	0. 077	3. 776	0. 000	0. 302	支持
绿色包装←提升竞争力	0. 224	0. 073	3. 055	0. 002	0. 236	支持
绿色运输←外部监督	0. 214	0. 083	2. 561	0. 010	0. 204	支持
绿色运输←提升竞争力	－0. 065	0. 079	－0. 815	0. 415	－0. 063	不支持
内部绿色管理←外部监督	－0. 051	0. 089	－0. 571	0. 568	－0. 043	不支持
内部绿色管理←提升竞争力	0. 424	0. 095	4. 490	***	0. 363	支持
环境绩效←绿色包装	0. 285	0. 075	3. 793	***	0. 262	支持
环境绩效←绿色运输	0. 421	0. 071	5. 910	***	0. 420	支持
环境绩效←内部绿色管理	0. 239	0. 060	4. 019	***	0. 272	支持
经济绩效←绿色包装	0. 450	0. 095	4. 759	***	0. 364	支持
经济绩效←绿色运输	0. 501	0. 086	5. 813	***	0. 409	支持
经济绩效←内部绿色管理	－0. 010	0. 068	0. 151	0. 880	－0. 010	不支持
经济绩效←环境绩效	0. 219	0. 091	2. 293	0. 022	0. 258	支持

注：*** 在 0. 1 水平（单侧）上显著相关；** 在 0. 01 水平（单侧）上显著相关；* 在 0. 05 水平（单侧）上显著相关。

从表 5－13 可以看出，企业的外部监督指向绿色包装的标准化路径系数为 0. 302 >0，p 值为 0. 000 <0. 005，说明外部监督对绿色包装具有显著正向影响，即企业受到的外部监督越严厉，其绿色包装实践度越高；提升竞争力指向绿色包装的标准化路径系数为 0. 236 >0，p 值为 0. 002 <0. 050，说明企业提升竞争力对绿色包装有显著正向影响，即企业提升竞争力的意愿越强烈，其绿色包装实践度越高；外部监督指向绿色运输的标准化路径系数为 0. 204 >0，p 值为 0. 010 <0. 050，表示外部监督对绿色运输有显著正向影响，即企业受到的外部监督越严厉，其绿色运输实践度越高；提升竞争力指向绿色运输的标准化路径系数为－0. 063 <0，p 值为 0. 415 >0. 050，表示提升竞争力对绿色运输影响不显著或者没有影响。

企业外部监督指向内部绿色管理的标准化路径系数为－0. 043 <0 ，p

值为 0.568 > 0.050，表示外部监督对内部绿色管理影响不显著或者没有影响；提升竞争力指向内部绿色管理的标准化路径系数为 0.363 > 0，p 值为 0.000 < 0.050，表示提升竞争力对内部绿色管理有显著正向影响，即企业提升竞争力的意愿越强烈，其内部绿色管理实践度越高。

企业绿色包装指向环境绩效的标准化路径系数 0.262 > 0，p 值为 0.000 < 0.050，表示绿色包装对环境绩效具有显著正向影响，即绿色包装实践度越高，其环境绩效越好；绿色运输指向环境绩效的标准化路径系数为 0.420 > 0，p 值为 0.000 < 0.050，表示绿色运输对环境绩效具有显著正向影响，即绿色运输实践度越高，其环境绩效越好；企业的内部绿色管理指向环境绩效的标准化路径系数为 0.272 > 0，p 值为 0.000 < 0.050，表示内部绿色管理对环境绩效有显著正向影响，即内部绿色管理实践度越高，企业的环境绩效越好。

企业绿色包装指向经济绩效的标准化路径系数为 0.364 > 0，p 值为 0.000 < 0.050，表示绿色包装对经济绩效有显著正向影响，即绿色包装实践度越高，经济绩效越好；绿色运输指向经济绩效的标准化路径系数为 0.409 > 0，p 值为 0.000 < 0.050，表示绿色运输对经济绩效有显著正向影响，即绿色运输实践度越高，经济绩效越好；内部绿色管理指向经济绩效的标准化路径系数为 −0.010 < 0.000，p 值为 0.880 > 0.050，表示内部绿色管理对经济绩效影响不显著或者没有影响。企业环境绩效指向经济绩效的标准化路径系数为 0.258 > 0，p 值为 0.022 < 0.050，表示环境绩效对经济绩效有显著的正向影响，即物流企业的环境绩效越好，经济绩效就越好。

剔除不显著的路径后，本书得到最终模型如图 5 − 8 所示。

该模型的拟合指标如表 5 − 14 所示。从表 5 − 14 可以看出，整模型拟合指标均符合该结构方程模型的评价标准，本书综合认为，假设模型的整体拟合度较好。因此，该模型为本书的物流企业绿色物流行为、动机以及绩效相关关系的最终模型。

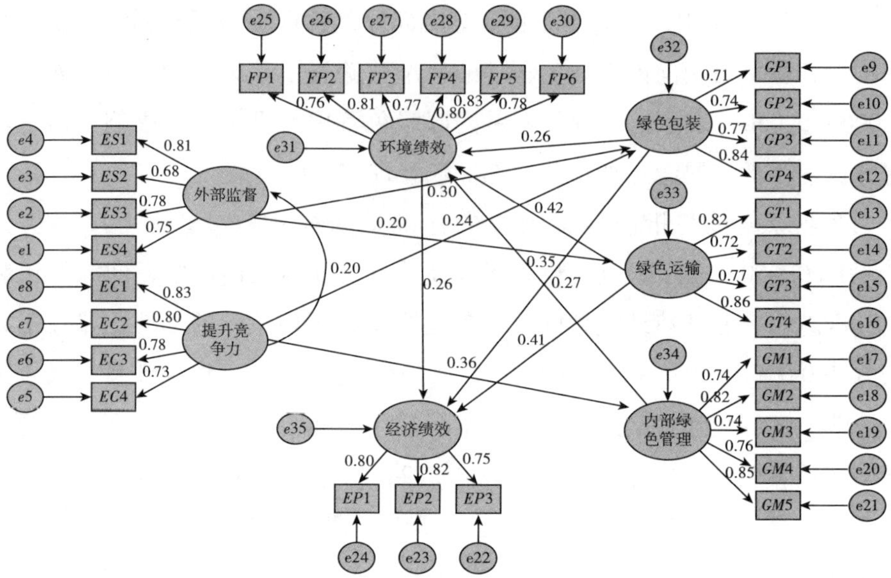

图 5-8　修正后的结构方程模型

表 5-14　SEM 模型适配度指标

指标	CMIN/DF	RMSEA	PGFI	PNFI	IFI	TLI	CFI
数值	1. 184	0. 029	0. 750	0. 798	0. 979	0. 977	0. 979
判断标准	优	优	优	优	优	优	优

5.6　环境管制调节作用分析

调节变量的回归分析是检验调节变量作用是否显著的一种方法，一般采用层次回归的方法。层次回归分析一般分为以下 4 步。

（1）对变量进行标准化处理，避免共线性问题。

（2）分别把自变量和因变量代入回归方程，观察其进入回归方程时标准系数以及 R^2 的大小。

（3）把调节变量与自变量代入回归方程，观察标准系数 Beta 以及 R^2 的变化。

（4）把调节变量与自变量的交互项，即二者标准化后的乘积代入回归方程，着重观察交互项标准化系数的大小和方向，以及解释程度 R^2。调节变量回归分析，应通过检验以下 3 个回归方程的显著性差异来识别调节变量的显著作用。

$$Y = a + b_1X + e \tag{5.1}$$

$$Y = a + b_1X + b_2M + e \tag{5.2}$$

$$Y = a + b_1X + b_2M + b_3XM + e \tag{5.3}$$

如果 $b_3 = 0$，$b_2 \neq 0$，则方程（5.3）与方程（5.2）无显著差异，那么 M 不是调节变量，只是一个预测变量；如果 $b_3 \neq 0$，$b_2 = 0$，则方程（5.2）与方程（5.1）无显著差异，但方程（5.3）与方程（5.1）显著不同，此时 M 为纯调节变量；如果 $b_3 \neq 0$，$b_2 \neq 0$，则 3 个方程均显著不同，此时 M 为半调节变量。

因此，本书采用层次回归分析法来检验环境管制能力是否对绿色行为对企业绩效的影响具有调节作用，并分别从经济绩效和环境绩效两个方面来检验，回归分析的结果如表 5 – 15、表 5 – 16 所示。

表 5 – 15　调节回归分析（1）

模型变量	第一步	第二步	第三步	方差膨胀因子 VIF
1. Z 绿色包装	0.303 ***	0.303 ***	0.293 ***	1.017
2. Z 绿色运输	0.381 ***	0.381 ***	0.400 ***	1.020
3. Z 内部绿色管理	0.005	0.006	−0.008	1.024
4. Z 环境管制能力		−0.010	−0.030	1.012
5. Z 绿色包装 Z 环境管制能力			−0.049	1.014
6. Z 绿色运输 Z 环境管制能力			0.240 ***	1.022
7. Z 内部绿色管理 Z 环境管制能力			−0.056	1.022
R^2	0.255	0.255	0.315	
调整 R^2	0.245	0.241	0.293	
$\triangle R^2$	0.255	0	0.060	
F	24.967 ***	18.650 ***	14.140 ***	

注：因变量——Z 经济绩效。*** 表示在 0.1 水平（单侧）上显著相关；** 表示在 0.01 水平（单侧）上显著相关；* 表示在 0.05 水平（单侧）上显著相关。

从表 5 – 15 可以看出，Z 绿色包装、Z 绿色运输、Z 内部绿色管理、Z 环境管制能力、Z 绿色包装 Z 环境管制能力、Z 绿色运输 Z 环境管制能力、

Z 内部绿色管理 Z 环境管制能力的 VIF 值均小于 2.000，表明回归方程的自变量不存在多重共线性问题。

第一步，将 Z 绿色包装、Z 绿色运输、Z 内部绿色管理作为自变量代入回归方程，R^2为 0.255，Z 绿色包装、Z 绿色运输的回归系数显著，Z 内部绿色管理的回归系数不显著。

第二步，将 Z 绿色包装、Z 绿色运输、Z 内部绿色管理、Z 环境管制能力作为自变量代入回归方程，R^2仍为 0.255，Z 绿色包装、Z 绿色运输的回归系数显著，Z 内部绿色管理、Z 环境管制能力的回归系数不显著。将 Z 绿色包装、Z 绿色运输、Z 内部绿色管理、Z 环境管制能力、Z 绿色包装 Z 环境管制能力、Z 绿色运输 Z 环境管制能力、Z 内部绿色管理 Z 环境管制能力作为自变量代入回归方程，R^2增加至 0.315，Z 绿色包装、Z 绿色运输、Z 绿色运输 Z 环境管制能力的回归系数显著，Z 内部绿色管理、Z 环境管制能力、Z 绿色包装 Z 环境管制能力、Z 内部绿色管理 Z 环境管制能力的回归系数不显著。

所以，环境管制能力在绿色运输与经济绩效间起到了调节作用；环境管制能力在绿色包装与经济绩效间的调节作用不成立，内部绿色管理对经济绩效的影响不显著，因此不存在调节作用的说法。

表 5-16　调节回归分析（2）

模型变量	第一步	第二步	第三步	方差膨胀因子 VIF
1. Z 绿色包装	0.237***	0.232***	0.216***	1.017
2. Z 绿色运输	0.355***	0.342***	0.349***	1.020
3. Z 内部绿色管理	0.243***	0.236***	0.234***	1.024
4. Z 环境管制能力		0.244***	0.225***	1.012
5. Z 绿色包装 Z 环境管制能力			0.191***	1.014
6. Z 绿色运输 Z 环境管制能力			0.206***	1.022
7. Z 内部绿色管理 Z 环境管制能力			-0.025	1.022
R^2	0.260	0.319	0.405	
调整 R^2	0.250	0.307	0.386	
$\triangle R^2$	0.260	0.059	0.086	

续表

模型变量	第一步	第二步	第三步	方差膨胀因子 VIF
F	25.651***	25.574***	20.917***	

注：因变量——Z 环境绩效。＊＊＊表示在 0.1 水平（单侧）上显著相关。

从表 5 – 16 可以看出，Z 绿色包装、Z 绿色运输、Z 内部绿色管理、Z 环境管制能力、Z 绿色包装 Z 环境管制能力、Z 绿色运输 Z 环境管制能力、Z 内部绿色管理 Z 环境管制能力的 VIF 值均小于 2.000，表明回归方程的自变量不存在多重共线性问题。

第一步，将 Z 绿色包装、Z 绿色运输、Z 内部绿色管理作为自变量代入回归方程，R^2 为 0.260，Z 绿色包装、Z 绿色运输、Z 内部绿色管理的回归系数显著。

第二步，将 Z 绿色包装、Z 绿色运输、Z 内部绿色管理、Z 环境管制能力作为自变量代入回归方程，R^2 增加至 0.319，Z 绿色包装、Z 绿色运输、Z 内部绿色管理、Z 环境管制能力的回归系数显著。将 Z 绿色包装、Z 绿色运输、Z 内部绿色管理、Z 环境管制能力、Z 绿色包装 Z 环境管制能力、Z 绿色运输 Z 环境管制能力、Z 内部绿色管理 Z 环境管制能力作为自变量代入回归方程，R^2 增加至 0.405，Z 绿色包装、Z 绿色运输、Z 内部绿色管理、Z 环境管制能力、Z 绿色包装 Z 环境管制能力、Z 绿色运输 Z 环境管制能力的回归系数显著，Z 内部绿色管理 Z 环境管制能力的回归系数不显著。

所以，环境管制能力在绿色包装、绿色运输与环境绩效间起到了调节作用；内部绿色管理对经济绩效的影响不显著，因此环境管制能力在内部绿色管理与环境绩效间的调节作用不成立。

综上所述，物流企业所在地区政府的环境管制能力对其绿色行为与企业绩效间的关系起到了正向调节作用。

5.7　主要结论

本书主要是在动机行为理论的基础上对物流企业绿色物流的动机、行为与企业的绩效进行深入分析，在此基础上，得到各研究假设的验证结果，具体内容如表 5－17 所示。

表 5－17　假设验证结果

序号	研究假设	结论
H1	物流企业外部监督要求与绿色行为（包括绿色包装 a、绿色运输 b、内部绿色管理 c）显著相关	H1a 、H1b 获得支持；H1c 未获得支持
H2	物流企业提升自身竞争力与绿色行为（包括绿色包装 a、绿色运输 b、内部绿色管理 c）显著相关	H2a 、H2c 获得支持；H2b 未获得支持
H3	物流企业绿色包装行为与企业绩效（包括经济绩效 a、环境绩效 b）显著相关	H3a 、H3b 均获得支持
H4	物流企业绿色运输行为与企业绩效（包括经济绩效 a、环境绩效 b）显著相关	H4a 、H4b 均获得支持
H5	物流企业内部绿色管理行为与企业绩效（包括经济绩效 a、环境绩效 b）显著相关	H5a 未获得支持；H5b 获得支持
H6	物流企业的环境绩效对经济绩效具有显著影响	H6 获得支持
H7	环境管制正向调节物流企业绿色行为（包括绿色包装 a、绿色运输 b、内部绿色管理 c）与企业绩效的关系	H7 获得支持

5.7.1　物流企业发展动机对绿色行为的影响

（1）外部监督对物流企业实施绿色行为有促进作用，但其作用有限。研究显示，外部监督要求与绿色行为中的“绿色包装”“绿色运输”都有显著正相关关系，与内部环境绿色管理无显著相关关系，这在一定程度上符合当前物流业的现状。外部监督中的政府、行业法规等，会对企业的外在行为起到一定的监督作用。物流企业实施绿色行为在一定程度上会增加成本效益，企业自身并不会因外界的监督要求而实施绿色物流。从整体来看，外部监督要求对物流企业的绿色行为有影响。

（2）提升竞争力对物流企业实施绿色行为有促进作用，但其作用有限。研究显示，提升竞争力与绿色行为中的“绿色包装”“内部绿色管理”均有显著正相关关系，与“绿色运输”无显著相关关系。物流业的利润率较低，行业浪费很严重。首先，包装物的浪费是物流业利润率低的主要原因之一。重复使用包装物提高了其利用率，在一定程度上降低了物流成本。随着科技的发展，包装材料出现新类型，相比旧的包装材料，新型包装材料可降解、绿色环保，使用新型包装材料可能会提升企业的绿色环保形象，从而提升其竞争力。其次，随着竞争压力的增加，物流业可以有效地促进企业实施内部环境管理，提升社会的管理水平，营造良好的生活环境。最后，在运输方面，目前企业仅通过合理规划运输路线来减少里程以达到绿色运输的目的。虽然国家大力推广新能源汽车，但由于其技术还不成熟，大部分企业还尚未大批量使用新能源汽车。

5.7.2　物流企业绿色物流行为对企业绩效的影响

1. 绿色行为与经济绩效

绿色包装与物流企业的经济绩效有显著正相关关系。企业通过回收、循环利用包装物等绿色包装行为，可以提高包装物的利用率，为企业节省成本，实现企业的可持续发展。

绿色运输与物流企业的经济绩效有显著正相关关系。企业在运输过程中优化运输路线可以减少汽车的油耗，促进企业资源的合理利用，进而降低企业成本，提升企业的运输效率，有利于企业提高市场份额，提升企业利润。

内部绿色管理与企业经济绩效无显著关系。企业在自身管理过程中，制定绿色管理战略、开展员工培训等内部绿色管理行为都只是停留在表面，并未深入企业、深入消费者，因此对经济绩效的影响作用不显著。

2. 绿色行为与环境绩效

绿色包装与企业的环境绩效有显著正相关关系。企业通过使用新型包装材料（如以玉米淀粉为主料的淀粉基塑料为原材料的包装物等），减轻以往的包装材料因难以降解给环境带来的压力。

绿色运输与企业的环境绩效有显著正相关关系。企业在运输过程中，可通过驾驶行为和燃料消耗评估确保驾驶员环保驾驶，以此减少汽车尾气的排放。此外，部分企业通过使用新能源汽车，减少对汽油等能源的消耗，从而减少废气的排放，为环境改善助力。

内部绿色管理与企业的环境绩效有显著正相关关系。企业内部建立健全环境管理体系，可以减少废气、废水、废物的排放量，减少环境事故的发生，从而改善企业的内部环境。因此，内部绿色管理对改善环境绩效有积极正向的作用。

3. 环境绩效与经济绩效

环境绩效与经济绩效有显著正相关关系。物流企业为了实现物流活动与社会和生态效益的协调，应积极解决经济活动中的环境问题，放弃危及企业生存发展的方式，在政府建立或提高标准时快速满足市场需求，占据市场份额。所以，良好的环境绩效可以使物流企业的服务差异化，进而吸引更多的环保型顾客；可以通过绿色行为提高企业的资源利用率，降低成本。在物流环节中，将环境绩效和经济效益相协调，有利于建立良好的企业形象与声誉，从而间接增强企业的竞争力。

4. 环境管制的调节作用

环境管制能力在绿色运输与企业绩效间起到了调节作用；环境管制能力在绿色包装与经济绩效间的调节作用不成立，但在绿色包装与环境绩效间起到了调节作用；内部绿色管理对经济绩效的影响不显著，故不存在调节作用的说法。近年来，虽然政府大力推进绿色经济，但企业在绿色包装方面的技术还不太成熟，且成本较高。环境管制的加强不断增加企业成本，且研发创新是持续性行为，企业化解环境管制带来的成本上升矛盾需要时间，因此在短期之内，环境管制对企业的绿色包装与经济绩效是有压力的。但是，在环境绩效方面，政府管制有利于树立企业的绿色发展形象，提升顾客满意度，所以环境管制对绿色包装与环境绩效的关系起到了调节作用。

第 6 章　物流企业绿色发展的策略应对

从党的十八届三中全会、四中全会到 2015 年 3 月的中央政治局会议可以看出，党中央高度重视生态文明建设。党中央强调，在以后的发展过程中，各地区都要把生态文明建设融入经济、政治、文化、社会建设的各方面和全过程，由此可以看出我国实施低碳减排的信心与决心。在此大背景下，我国经济由先前的高速发展转变到现在的中高速发展，对经济发展的质量要求越来越高。在新的经济形势下，实现经济高质量发展将是我国的奋斗目标。物流业作为一个能耗“大户”，既要做到节能减排，又要自觉地转变发展方式提升低碳竞争力，赢得民众的口碑。同时，改变物流业原先粗放的发展方式仅仅依靠物流企业是远远不够的。企业的发展无法脱离行业及政府的支持与配合，物流企业的低碳发展尤其如此。政府需要为物流企业低碳发展提供政策与法律层面的保障，物流行业也应从宏观角度发挥调控作用，整体提升物流业的能源使用效率。物流企业更应从自身做起，努力提升低碳竞争力；物流企业的服务群体也应提升自身低碳意识，自觉选择低碳发展表现好的物流企业。

本章从政府、行业、企业、消费者 4 个层面详细探讨物流企业低碳发展的具体对策。习近平总书记在 2018 年的全国生态环境保护大会上提出，要加快构建生态文明体系，加快建立健全以生态价值观念为准则的生态文化体系，以产业生态化和生态产业化为主体的生态经济体系，以改善生态环境质量为核心的目标责任体系，以治理体系和治理能力现代化为保障的生态文明制度体系，以生态系统良性循环和环境风险有效防控为重点的生态安全体系，要通过加快构建生态文明体系，确保到 2035 年，生态环境质量实现根本好转，美丽中国目标基本实现。

6.1 面向物流企业低碳发展的行业对策

6.1.1 物流行业组织要为物流企业提升低碳竞争力做好保障工作

在中国，由中国物流与采购联合会和下属各省份物流行业协会负责整合中国的物流资源，协助介绍和实施政府的相关政策，并监督和审查物流企业，为物流企业提供管理咨询、合作交流等服务。因此，在物流企业提升低碳竞争力方面，行业组织和协会应充分发挥援助和支持的作用，做好保障工作。

首先，物流企业分类和评价指标包含了与低碳竞争力相关的指标。2013 年 12 月 31 日，国家标准化管理委员会批准的《物流企业分类与评估指标》（GB/T 1968—2013）正式发布，并在 2014 年 7 月 1 日开始实施。该标准确立了不同类型物流企业的等级标准，分别从经营状况、资产、设施设备、管理及服务、人员要求和信息化水平 6 个方面对物流企业进行评估。该评价指标使物流企业的发展更加科学规范，有利于物流企业间进行良性竞争，激发物流市场活力。在实现“双碳”的目标下，加入物流企业低碳和环境效益相关指标评价可以扩展其评价维度。在交通物流企业评价指标中，增加了“清洁能源汽车数量”和“悬挂运输方式比例”2 项低碳计量指标。在仓储物流企业评价指标中，增加了“低碳仓储比例”和“新能源利用率”两项低碳计量指标。在综合物流企业评价指标中，增加了“清洁能源汽车数量”“低碳仓储比例”和“新能源利用率”3 个低碳计量指标。物流企业等级评价中引入了低碳测度指标，可以使企业的低碳环保意识深入企业的日常经营，正确引导企业走低碳改革之路。

其次，积极开展省、市物流协会与绿色能源供应商的合作。随着电池电动和氢燃料电池电动卡车成为削减运输污染排放的最佳方式，天然气再次成为清洁能源的一个重要挑战，应考虑液化天然气的供应是否充足。随着“油转气”浪潮的到来，各地液化天然气短缺，严重阻碍了清洁能源汽车市场的开放。运输是物流企业的重要环节，要让企业放心使用清洁能源汽车，就必须保证液化天然气的充足供应。山东省是中国的物流大省，也是中国重要的物流运输基地之一，在清洁能源的引进上处于领先地位。为引进清洁能源，确保能源改革顺利实施，山东省物流与交通运输协会于 2014 年 10 月积极开展与哈纳斯（Hanas）新能源集团的合作。山东省物流与交通运输协会承诺协助 Hanas 选择 LNG 终端加气站并联系山东合作伙伴，Hanas 承诺在山东省建设 60 个绿色能源促进中心，全面保障山东地区车辆用气量。同时，山东省物流与交通运输协会积极促进物流企业之间的合作，是行业重要的信息资源载体，这对物流企业的低碳转型和建立长期的货运行业绿色发展机制具有重要意义。山东省物流与交通运输协会积极探讨低碳改革，值得其他省份借鉴。

最后，物流行业组织要做好低碳转型的咨询和培训工作。中国大约有 70 万家物流企业。长期以来，物流企业一直处于“小、散、杂、乱”的状态。到目前为止，只有少数大型物流企业开始注重提高自身的低碳竞争力，通过低碳转型获得可持续的经济效益。物流组织必须做好宣传低碳竞争优势的工作。针对物流企业存在的驾驶员不良驾驶习惯、包装物不回收、信息平台建设水平低等问题，开展培训，从细节上帮助物流企业提升低碳竞争力。

6.1.2　制定物流产业标准化体系

由于起步晚、发展模式粗放，我国物流企业还没有建立规范的操作流程。我国物流行业标准化程度低，物流设备不完善，严重影响了物流机械化、自动化和多式联运的发展。例如，我国海运和铁路运输中使用的集装箱标准不统一，阻碍了海铁联运的发展，集装箱在海铁联运模式中所占比例很低，在一定程度上影响了港口物流的工作效率。我国现有托盘规范混乱，严重影响了托盘的通用性。标准化是机械化和自动化的基础，标准化程度低意味着我国物流业难以实现机械化和自动化。

物流运营是一个跨区域、跨行业的远程系统工程。只有实现统一标准才能实现科学管理，从而提高物流效率、减少污染物排放。因此，在我国物流业蓬勃发展的今天，有必要严格规范物流设施的标准。行业协会需要与政府和物流企业进行合作，共同研究和制定集装箱、托盘和包装等物流设备的标准。不仅要做到规范统一、易于机械化操作，而且要在物流设备选材上尽量采用环保材料。例如，蜂窝纸托盘是一种绿色环保托盘材料，值得在物流行业进行推广。只有从物流体系的整体、运输、仓储、包装等各环节制定技术标准和设备标准，才能真正建立适应供应链、行业、国家和世界的物流标准化体系。

6.1.3 策划并督促低碳物流产业园区的建设

我国现有物流企业约 70 万家，但物流园区仅为物流企业总数的 1‰。物流园区大多建在物流运作与运输方式相连接的地方。物流园区以物流节点建设为重点，开展专业化、规模化运营，降低物流成本，提高整体运营效率。物流园区充分发挥经济发展的枢纽作用，整合多种交通方式和多种状态运行方式，大大节约了资源。因此，在低碳经济的背景下，相关部门应鼓励物流园区的建立，让更多的物流企业进入物流园区，使企业间能够相互补充。

中国现有的低碳物流园区，如安徽省益民低碳物流园区和黑龙江省林甸县雨天物流园，都把环境保护和低碳建设规划作为一个重要的益民目标，并采取环保措施，如使用绿色包装、太阳能电池板、水回收系统和绿化有效降低碳排放。行业协会应大力倡导物流园区“绿色”转型，使传统物流园区越来越环保；制定相应的物流园区低碳标准，设立物流园区环境门槛。

6.2 面向物流企业低碳发展的企业低碳竞争力提升对策

2015 年 10 月 26 日到 29 日，中国共产党十八届五中全会首次提出“绿色发展”这一概念。我们深刻地感受到，低碳、环保的经济发展已成为我国的政治任务。物流企业应提前做好低碳化转型来适应市场变化。

6.2.1 逐步淘汰或改进高油耗货运工具，大力推广新能源汽车

以前我国的物流车辆大多是汽油或柴油驱动，汽油和柴油不仅价格高，而且碳排放系数比较高，清洁能源汽车在中国占比不到20%，在美国、日本等国家占比超过50%。近几年，新能源汽车市场规模不断扩大，随着环境污染和资源衰竭问题日益严重，大力推广新能源汽车行业的发展成为一项重大举措。2015年以来，中国新能源汽车销量持续增长。大力推广新能源汽车是我国从汽车大国迈向汽车强国的必由之路，是应对气候变化、推动绿色发展的战略举措。随着政府对环境保护的重视，我国建设了越来越多的充电桩、信息通信与道路交通等基础设施，新能源供应越来越充足。我国新能源汽车产业竞争力逐年提高，但产业基础薄弱，《中国新能源汽车产业发展报告（2019）》显示，2015年，国内新能源汽车的单位用户占比为71.6%，到2018年，单位用户占比仅为26.0%。2018年，中国新能源汽车产业国际竞争力排名第3，而美国在2016—2018年一直保持排名第1。我国研发和推广新能源汽车，有很多成功的案例，如天津市交通集团正通物流配送公司于2013年6月投入使用4500CNG（压缩天然气）清洁能源油气混合动力汽车，天津第一次尝试将清洁能源油气混合车辆用于物流配送。新的清洁能源车燃料费用比汽油动力汽车少60%，不仅对环境有益，同时也为企业降低了物流成本。张家港市全方位打造低碳交通，2010年9月1日，张家港推出LNG（液化天然气）公交车，其燃料成本比普通燃油公交车低30%，二氧化碳排放量降低了85%以上。不仅如此，上海、山东等省市都在大力建设加油站，进行规划现场运输模式改革。在这种情况下，企业应认识到清洁能源汽车的好处和必要性，淘汰老旧的营运卡车，加快清洁能源汽车投资，提高低碳竞争力。

我国《新能源汽车补贴政策细则》明确规定了依托城市尤其是特大城市推广应用新能源汽车，因此，新能源车辆占比较低的企业应该抓住机会，适当增加清洁能源车辆数量。

6.2.2 加强甩挂运输方式的应用

甩挂运输是由一辆动力牵引车和几个承载装置组成的运输方式，由动力牵引车拖带承载装置到达目的地后，装换成另外满载的承载装置并运至另一个目的地。这种运输方式既节省了运输时间方便货物装卸，又有效降低了车辆的空载率，通过提高车辆重载率，节省了运输过程中的中转能耗。甩挂运输极其灵活，因而成为最受龙头物流企业欢迎的运输方式之一，也是国家极力倡导的大吨位、环保型的运输模式。在交通运输比较发达的国家，甩挂运输方式的比重达到60% ~80%，其中规模较大、货运方式较专业的企业有马士基、DHL 等。20 世纪中后期，我国开始探索并推广甩挂运输模式，经过多年探索和经验积累，逐渐进入发展阶段。截至目前，我国甩挂运输基本满足发展需求并逐年增多。甩挂运输这种新型的运输方式虽然在前期需要对牵引车及挂车进行投资，但其节约能源、提高效率后所带来的经济效益远远大于投资费用，同时为节能减排做出贡献。因此物流企业应及时改进运输方式，加大甩挂运输的使用力度，用新型运输方式赢得时间与效益，提高低碳竞争力，并充分发挥政府财政资金的杠杆作用，促进甩挂运输基础设施的建设。

6.2.3 采用绿色建筑技术，充分利用新能源打造绿色仓储

绿色仓储具有环境污染小、货物损失小以及运输成本低等特征。企业应合理设置仓库网络，利用绿色环保型建筑材料建仓，充分利用新能源满足仓库所需，合理布局仓储以降低运输成本。此外，应避免因建立仓库而造成新的环境问题或引发潜在的不利环境因素，提高环境保护的可靠性。我国在 2014 年出台了《建筑碳排放计量标准》，规定了建筑从材料生产、施工建造、运行维护、拆解直到回收阶段全生命周期的碳排量计量方法与碳排量要求。物流企业的仓储中心应当严格按照标准规定的碳排量来建设，多采用绿色环保材料如高反射率屋面、可回收钢材、吸热加气轻质混黏土墙面板等。物流仓储中心不仅要做到绿色建筑，还需要利用好风能、太阳能等可再生能源满足仓储中心的基本用电需求；仓储中心还应配置风力发电机、太阳能采光板等采集能源的设备，做到节能减排。中远公司的

一个仓储中心摒弃使用传统灯泡的照明方式，而采用FRP采光板来采光，仅一个夏季就节约了4800千瓦时的电，节能减排的效果不容忽视。物流仓储中心是车辆频繁进出之地，因此仓储中心必须加大绿化覆盖率，利用好每个绿化区域，达到绿化覆盖标准。

技术创新是提升物流企业核心竞争力的重要手段，学者傅家骥曾经说过："技术创新是企业家抓住市场潜在的盈利机会，以获取商业利益为目标，组织生产条件和因素，建立性能更强、效率更高和费用更低的生产管理系统。"从中足可以看出技术创新的重要性。从自然资源结构和物流企业发展阶段来看，物流企业短期内很难通过改变能源结构来减少碳排放。因此，物流企业应进行技术创新以提高能源利用效率，革新技术装备是行之有效的途径。技术创新，一方面可以提高化石能源的利用效率；另一方面可以对物流设备进行改造，实现节能减排。物流企业改进能源结构，逐步建立低碳绿色能源系统，创新可再生能源和节能减排相关技术，加快低碳研究成果转化成现实生产力，从而达到多元化和清洁能源发展的目的，共同促进物流企业的低碳发展。企业要加大对绿色物流科学研究的投入力度，依靠科技进步，促进核能、水能、风能、太阳能等可再生、清洁能源的研究开发，开发新能源交通运输方式。对物流企业这一"耗油大户"来说，减少甚至替代高污染能源，使用清洁、可再生能源，改善物流能源结构将是一场新的革命。

提高包装技术水平可以节约包装资源、提高运输和管理效率。网上购物相关电商平台的兴起，导致中国物流企业的过度包装和非标准化包装，以及二次包装问题比较严重，造成包装材料的严重浪费。此外，目前电商物流逆向回收成本高，体系不完善，缺乏标准，进而造成包装资源的浪费。纸板箱与碳排放没有直接关系，但箱子的原材料是木材，植被能够吸收大量的二氧化碳，同时纸板箱的生产过程也会排放碳。一次性包装的主要原材料是聚乙烯等，其在高温下能够产生有毒气体，其生产制造过程中还会产生大量的碳，而且这种材料不易分解，进入自然环境后会对水和土壤造成不可逆的破坏。因此，物流企业要加大企业绿色包装力度，提高物流效率和包装质量，减少产品生产和运输过程中不必要的过度包装，节约资源。企业应严格按照包装尺寸和材质国家标准，满足集装箱和托盘规格要求，实现包装的普适性，提高物流效率；包装材料应多采用低碳物流包装材料、新型可降解塑料包装材料、蜂巢纸箱产品、纳米包装材料、瓦楞纸材料等，这些包装材料既耐用又环保。

6.3 面向物流企业低碳发展的政府对策

6.3.1 构建物流企业绿色发展的法律保障体系

目前，我国有关环保的法律已有多部，但具体针对物流企业低碳发展的法律法规尚未出台。由于我国物流业起步晚，物流企业经营规模不一，物流业至今没有实现标准化。无论是物流行业设备标准还是碳排放标准，我国都没有一个统一的规定，而实现物流设备的标准化是提高物流效率、节能减排的关键。我国物流设备如集装箱、托盘、包装等都未形成行业标准，大大影响了物流业的规范管理。低碳发展的标准方面，虽然2014年12月开始实施《建筑碳排量计量标准》，但是有关能耗、运输、仓储、包装方面的碳排放标准仍未制定，因此政府亟须出台物流企业低碳发展的法律法规，建立物流行业低碳认证体系，并将节能减排的任务量具体到每一个企业，为物流企业的低碳发展制定严格的法律依据。

6.3.2 建立物流企业低碳运营的市场机制

众所周知，节能减排对营利性企业具有负外部性。因此，仅依靠政府的宣传和号召，而没有足够的激励和惩罚措施，是无法改变物流企业高能耗现状的。近年来，大部分物流企业对低碳运营仍持观望态度，无论是低碳意识还是低碳设备方面都没有太大的变化。因此，政府有必要发挥宏观调控作用，建立“碳排放”市场交易。只有从根本上提高企业利益，才能真正有效地进行物流企业低碳经营的改革。

2014年，包括北京、天津在内的7个试点城市首次迈出“碳市场交易”的第一步，这是中国碳市场建立以来的第一次。北京和深圳增加了碳交易市场的服务。为了达到节能减排的总目标，进行碳排放权交易时应根据实际情况为不同企业设定碳排放配额。整个行业的总配额要低于或等于上一年度。通过碳市场机制的约束，企业可以在低碳经营和购买碳排放指标之间进行选择，从而达到碳市场的均衡和最低碳排放的目的。

以交通运输为支撑的物流业一直是能源消耗大户，实施碳交易机制势在必行。在完善碳交易体系的基础上，对物流企业实施碳交易机制，以配额制度管理物流企业的碳足迹——关注节能可以出售商品能源密集型企业碳排放配额。高碳企业通过权衡经济效益与过多的碳采购配额成本，使碳排放效益最大化。效率机制可以促进物流企业低碳竞争力的提升。持续改进碳交易市场和碳金融市场，碳排放交易员可制定企事业单位碳排放的交易方案，进行碳排放权的购买、出售、抵押等各项操作。此举措可以从较发达省份的物流行业开始，且可以从 A 级物流企业开始，最后扩展到整个物流产业，从而实现整个行业的碳排放监督治理。

在物流企业低碳转型的初期，政府应该是鼓励和督促企业转型的主要力量。因此，政府必须充分发挥财政补贴、税收等手段的宏观调控作用，引导企业实施低碳转型政策，对积极提高低碳竞争力的物流企业给予财政补贴。物流企业要实现低碳转型，需要引进清洁能源汽车，改造原燃料汽车，加大低碳节能仓库建设，完善信息平台建设等。这些低碳项目的实施对物流企业来说是一笔巨大的投资，实施后的减排效果也非常显著。因此，政府必须提供固定的财政补贴，加强政策引导，鼓励物流企业提高低碳竞争力。利用税收优惠逐步淘汰落后的污染产能。税收是调节经济结构的杠杆。在鼓励物流产业低碳转型的过程中，中国应该充分利用这一经济杠杆。对于积极实施逆向物流、引进清洁能源、提高能效、加大环保投入的企业，政府应给予一定程度的减税、免税支持。中国还应该向荷兰、美国、日本等国家学习，逐步征收碳税，利用税收手段保护环境，减少碳排放，为积极实施低碳转型的物流企业提供绿色信贷。物流企业实现低碳转型，购买低碳设备、引进新能源、研发低碳技术缺乏资金支持，因此，在转型初期，政府有必要为这些企业提供财务政策支持，鼓励这些物流企业通过世界银行开辟绿色信贷渠道，向低碳发展研究专项基金申请低息或无息贷款，提高其低碳竞争力。

6.3.3 加快专用车道建设

ETC 车道是指电子收费系统中的车道，车辆通过收费站时不需要减速或停车，通过车载设备自动扣除费用。中国制定了全面实施 ETC 网络的 4 步走计划，湖北省早在 2012 年就加快了 ETC 通道的建设。据估计，与手工收费相比，ETC 系统将减少约 50% 的燃料消耗，减少 71% 的一氧化碳排放和 48% 的二氧化碳排放。用于物流的货运车辆往往重量大、油耗高，因此政府应督促各省份尽快全面实施车道建设方案，推动低碳交通建设。

6.4 面向个人低碳发展的对策

绿色物流的实现不仅需要政府和企业付出努力，社会公众以及消费者个人的行为也至关重要。社会公众的舆论力量可以实现对物流企业的绿色行为实施状况的有效监督。因此，市民公众要大力呼吁企业保持绿色环保的经营理念，并对自身行为进行有效监督。个人消费者作为供应链的末端，是物流企业的最终服务对象，应积极协助物流企业实施相关绿色行为。

6.4.1 强化知识体系

在绿色经济导向下，我国实施绿色物流创新经济战略成为经济可持续发展的重要推手。绿色物流虽然属于新兴产业，但经过几年的蓬勃发展，其绿色物流系统发展比较完善，针对绿色物流的相关研究也逐步完善，因此不仅政府和高校之间形成了完善的产学研相结合的体系，社会公众也需要从中汲取相关理论知识，丰富知识体系，从而对绿色物流的创新发展有深刻的认识。在此背景下，高校等相关机构需要不断更新和完善绿色物流创新发展的政策与理论体系，持续提升绿色物流创新技术水平；社会公众可以借助于各种渠道进行学习和借鉴，加强对绿色物流创新发展相关理论的学习，为绿色物流企业的发展提供人力和消费保障，以实现绿色物流系统的利益最大化、对环境的损害最小化。此外，在低碳经济的发展趋势下，绿色物流创新对物流从业人员的素质有更高要求，因此绿色物流企业发展的理论研究迫在眉睫，物流企业可以与具有物流相关专业的高校联合培养绿色物流人才。

6.4.2　坚定绿色发展理念

绿色产品需求是绿色物流体系发展的巨大推动力，消费者在绿色物流创新体系中占据重要地位，一个企业能否持续盈利的关键在于其能否得到消费者和社会公众的认可。因此，不断提升消费者绿色发展和绿色消费认知能够激励物流企业不断进行绿色创新和技术水平的提升，且社会公众绿色发展意识的提高已成为企业进行绿色创新的巨大动力。由于绿色产品市场需求量的持续加大，绿色企业形象和品牌效应会激励绿色物流企业加大绿色创新投资和绿色技术研发。从社会发展历程来看，观念与人类社会生产生活的发展息息相关，其在一定程度上又引导人们进行活动，因此，在全社会范围内进行绿色物流创新理念的宣传能够对绿色物流企业的创新建设和完善起到引领作用。在消费者视角下，绿色发展理念能够提升消费者的环保意识；同时，进一步对绿色产品进行消费，可有效推进绿色物流系统的健康运转。在企业盈利视角下，为了促进消费者购买绿色产品，企业应针对绿色物流创新的优势进行宣传并实现服务绿色创新，加大消费者吸收绿色消费理念的力度，最终推动企业经济的发展。因此，为了使物流相关企业的利益和社会环境均得到有力保障，企业不仅需要优化绿色物流创新发展模式，还需要培育消费者环保方面的绿色发展理念，加大绿色物流企业的发展力度，实现其可持续发展并使物流生产与消费都能够建立在绿色基础之上。

6.4.3　增强法律意识

激励消费者加大对绿色产品的消费力度，大力宣传和推行个人绿色消费。人类处于社会生产生活的主导地位，对绿色产品和低碳产业的影响力大，因此，对消费者绿色环保消费意识的培育是节能减排的一项有力举措。相关部门不仅要通过市场的供需结构促进绿色产业的发展，还要通过媒体等手段实施对物流企业的监督，切实了解环境信息，推动企业严格实施环境政策，促进企业绿色技术创新、健康发展。消费者作为绿色物流系统运转的重要一环，不仅要有绿色发展理念和绿色消费意识，还要有强烈的法律责任感。因此，消费者应积极监督绿色物流企业的绿色创新行为，发现违法、违规行为应主动向相关部门反映。

宏观篇：
区域物流业绿色创新能力评价

第 7 章　区域物流业绿色创新能力评价模型构建

在第 2 章对区域物流概念、绿色创新能力和相关理论进行分析的基础上，本章将通过分析区域物流业绿色创新能力的构成要素和判断标准，构建区域物流业绿色创新能力评价指标体系和模型，为区域物流业绿色创新能力的评价打下基础、提供依据。

7.1　区域物流业绿色创新能力的构成要素和评判标准

7.1.1　区域物流业绿色创新能力的构成要素

区域绿色创新能力指的是区域产业生产运作活动在创造经济价值的同时，对环境资源的消耗比之前减少。与普通的绿色、创新定义不同，绿色创新能力对生态环境的影响表现出环境低消耗、产业创新性的特征。

目前，学术界关于物流业绿色创新能力的构成要素没有统一的概念，但是在省域、制造业、高技术产业等领域早已展开研究，这些领域对绿色创新能力构成要素的研究为本书提供了参考。在省域绿色创新能力的构成要素上，王彩明（2021）把绿色创新绩效、绿色创新转化效率、绿色创新产出效益作为衡量省域绿色创新能力的构成要素。杨瑾（2020）在研究长三角城市绿色创新效率时，把投入要素、期望产出要素、非期望产出要素作为绿色创新的构成要素。邹明星（2020）在研究湖南省绿色创新效率时，采用专利数量、新产品的销售额等投入要素衡量湖南省绿色创新活动，其中非期望产出采用污染物 CO_2 排放量，期望产出采用专利数量、产品销售收入来衡量。在制造业绿色创新能力的构成要素上，陈海燕

(2020) 对已经上市的医药行业的绿色创新能力效率进行研究，从投入要素和产出要素角度评价其绿色创新能力。叶金平 (2020) 利用制造业绿色能力、制造业创新能力要素对制造业绿色创新能力进行评价。许然 (2019) 利用绿色创新投入、绿色创新产出、创新研发能力和绿色创新辐射对高新技术绿色创新能力进行评价。

根据学者之前的研究，本书将区域物流业绿色创新能力的构成要素定义为：绿色创新支撑能力、绿色创新投入能力和绿色创新产出能力。绿色创新支撑能力：采用基础设施、宏观环境和物流环境分析不同区域物流业的物流环境。绿色创新投入能力：采用人力投入和财力投入分析政府和企业对区域物流业的投入。绿色创新产出能力：采用环境效益、经济效益和创新成果衡量区域物流业绿色创新能力的产出能力和水平。下面针对区域物流业绿色创新要素进行详细说明。

(1) 区域物流业绿色创新能力支撑要素。物流系统的支撑要素有体制、法律、组织管理、基础设施、技术和人才，产业的支撑能力是企业稳步发展的基础保障之一。因此，支撑要素是影响区域物流业绿色创新能力的主要因素之一。该要素主要从物流业基础设施、省份宏观环境和物流环境层面对区域物流业绿色创新能力产生影响。对于区域物流来说，基础设施是区域经济发展进步的关键资源，同时对区域内外的产业布局产生影响。物流业的基础设施为区域物流业绿色创新能力的提升提供了物质基础和保障，该要素界定了区域物流业绿色创新能力的下限值。省份宏观环境考虑人均 GDP、省份人口数量和高校数量，界定了各区域宏观发展环境的不同，充分考虑了地域发展差异导致的差距。物流业货物运输周转量大，快递业务和物流企业数量多说明该区域物流环境好、产业成熟且需求大，能够提高物流业经济效益，从而为物流业绿色创新能力的提升提供经济支持。因此，支撑能力对区域物流业绿色创新能力的重要性不言而喻。

(2) 区域物流业绿色创新能力投入要素。在不同的阶段，经济生产要素的驱动力各不相同。新时代迫切需要加快促进创新驱动力发展。创新驱动的三大客观要素为人力、财力和物力，其中人力和财力是物流各环节的必需要素。人力要素的数量、质量和结构投入与企业运营规模相适应，要实现一定的生产经营规模，就必须配备一定数量的员工，所以在人力投入要素中，物流业从业人员数量、物流业劳动力质量、R&D 人员全时当量对物流企业的运行和创新发明具有重要影响。企业的经营过程也是资金的流动过程，在企业经营过程中，资本金、周转资金、各项费用的支出通过市场服务转化为营业收入等，所以一定规模的各类财力投入要素对物流业绿色创新能力的提高具有保障、带动作用。针对区域物流业环境、资源和行业运营，本书分别从环境污染治理投资总额、污染治理项目本年完成投资额、研究与开发（R&D）经费内部支出、物流业固定资产投资额 4 个方面对投入要素进行评估和研究，并对其进行定量分析。

（3）区域物流业绿色创新能力产出要素。在对物流行业进行一定投入后，为了衡量该投入回报和效果如何，可以从经济效益、环境效益和创新成果 3 个方面对产出要素进行评价。从物流的运作环境来看，利润最大化和环境、资源的可持续发展并不相悖。物流业的发展如果只注重短期的经济效益，不重视对环境的污染程度和资源的有限消耗，那么环境会反作用于物流业的正常运行，此时物流企业就会为其环境行为买单。经济效益是区域物流业绿色创新能力的关键要素，环境要素是考察区域物流业绿色能力的重要方法。在创新方面，创新成果的产出是考察区域物流业创新能力的重要方法。3 个要素的共同作用可以反映区域自然环境的状况和变化对物流业承载力的影响，三者共同组成创新能力成果。

7.1.2　区域物流业绿色创新能力的评判标准

根据区域物流业绿色创新能力构成要素以及绿色创新能力概念，本书提出的区域物流业绿色创新能力评判标准如下。

（1）区域物流业绿色创新支撑能力。产业支撑能力在物流行业和经济建设中具有非常重要的作用和地位，良好的产业支撑力不仅能集成、创新并增强重要领域的核心竞争力，还可以提高产业的科技实力，支撑要素的提升和转变，从而使行业实现技术突破和跨越式发展，最终形成技术平台。因此，区域物流业能力主要概括为 3 个方面。一是物流业的基础设施，即该地区具备的物流业必要的设施设备，如交通运输路线里程、移动电话普及率、互联网普及率、物流业聚集度等，体现了该区域物流业在发展中的实力和水平。二是宏观环境，即该地区具备的经济发展水平、人口数量和人才培养能力，体现了该省份对物流业的支撑总水平。三是物流环境，即通过衡量货物运输量、周转量、快递业务量和物流企业数量表现该地区具备的物流业务水平、物流规模和服务能力。以上 3 个方面综合反映了某省份的物流表现力、承载力和驱动力，可以有效区分不同等级的物流水平，为后续的评价奠定基础。

（2）区域物流业绿色创新投入能力。为建设区域物流业绿色创新平台，相关部门需要在创新人才、行业人才等方面进行相关的投入，并对环境保护、行业发展提供经费支撑。人力和财力投入是区域物流业绿色创新能力提升的保障和动力源泉。投入能力具体表现在两个方面。一是加大区域物流业绿色创新能力的人力投入，推行人才驱动，提高资源综合利用效率和产出效益，加快开发和研究绿色低碳的现代物流业体系和创新成果的有效转化，通过创新有效解决物流业环境污染和资源浪费的现状；二是重视环保治理、创新发明和支撑物流业发展的经费投入，从 3 个维度构建物流业的财力投入体系。利用人力和财力的投入，加快研发打造绿色物流流程的新技术，实现物流产业链循环、资源充分利用、运作过程清洁、能源消耗最低和废弃物回收，从而实现物流业绿色发展，提高行业的创新水平。

（3）区域物流业绿色创新产出能力。环保将绿色和物流业的发展结合起来，区域物流业的绿色创新能力的经济效益、科研和环保投入的产出，将为我国区域物流业绿色创新提升提供参考，同时对未来物流业的发展进行合理的规划和预测。区域物流业绿色创新产出能力主要体现在 3 个方面，即经济效益、环境效益和创新成果。其中，经济效益是投入要素的直观产出。在推动实现碳达峰和碳中和“双碳”目标下，环境效益处于首要地位。加快建设绿色低碳的现代物流产业体系，能够缓解资源环境的压力。创新成果处于连接位置，其产出可以帮助物流业进行绿色转型，提高物流效率，实现物流业规模的可持续增长。三者的平衡发展，可以满足区域物流业绿色创新的需求，对企业绿色创新能力的提高产生重要影响。

7.2　评价指标体系构建

7.2.1　指标选取原则

在指标的选取和设计上，本书遵循以下原则。

(1) 理论与实践相统一原则。本书所选的二级指标基于绿色经济理论、绿色创新理论和可持续发展理论，立足我国物流业发展实际，全面覆盖区域物流业绿色创新能力的各要素。在选取指标时，本书充分考虑指标的代表性、科学性、可获得性和可靠性，要求指标既能够正确评价不同区域的物流业绿色创新能力，又具有较强的可操作性。

(2) 整体性和层次性相结合原则。本书从支撑、投入和产出能力 3 个方面进行评价。对于指标的选取，本书首先从整体视角考虑评价指标体系是否能正确、充分地反映整体目标的实现；其次考虑指标的各系统之间是否符合研究模型的内在逻辑关系。基于以上两点，本书的评价指标体系最终选取了 1 个目标层、3 个准则层、8 个一级指标和 26 个二级指标。

(3) 可比性和针对性相结合原则。构建区域物流业绿色创新能力评价指标的根本目的在于，能够对比评价不同区域物流业的绿色创新能力，构建尽可能全面客观的评价标准。此外，此指标体系能够对不同地区进行针对性评价。基于以上要求，本书在构建指标时考虑指标的可比性和针对性，不论是从横向还是纵向都可比，针对不同地区发展的实际情况进行指标设计。

(4) 动态性和静态性相结合原则。本书要求评价指标在时间段内具有动态性，在时间点上具有静态性。在时间跨度上，评价指标能够反映这段时间内绿色创新能力的时空演变和未来趋势。在某一个时间点上，指标体系能够客观反映该地区物流业绿色创新能力现状。因此，本书在设计指标时应充分考虑以上情况，做到静态、动态相结合，以便更加客观地反映发展情况。

7.2.2　指标体系构建与说明

根据区域物流业绿色创新能力的评判标准，本书构建了区域物流业绿色创新能力评价指标体系。本指标体系设置了 1 个目标层——区域物流业绿色创新能力；3个准则层——绿色创新支撑能力（*A*）、绿色创新投入能力（*B*）、绿色创新产出能力（*C*）。其中，绿色创新支撑能力（*A*）由基础设施（*A*1）、宏观环境（*A*2）、物流环境（*A*3）3个一级指标构成；绿色创新投入能力（*B*）由人力投入（*B*1）和财力投入（*B*2）2个一级指标构成；绿色创新产出能力（*C*）由经济效益（*C*1）、环境效益（*C*2）和创新成果（*C*3）3个一级指标构成。综上，整个指标体系由1个目标层、3个准则层、8个一级指标和26个二级指标构成，具体内容如表7－1所示。

表7－1　区域物流业绿色创新能力综合评价指标体系

目标层	准则层	一级指标	二级指标	单位
区域物流业绿色创新能力	绿色创新支撑能力（*A*）	基础设施（*A*1）	交通运输路线总里程（*A*11）	公里
			物流业聚集度（*A*12）	%
			移动电话普及率（*A*13）	部/百人
			互联网普及率（*A*14）	%
		宏观环境（*A*2）	人均GDP（*A*21）	元
			省份人口数量（*A*22）	万人
			高等学校数量（*A*23）	所
		物流环境（*A*3）	货物运输量（*A*31）	万吨
			货物周转量（*A*32）	亿吨公里
			快递业务量（*A*33）	万件
			物流企业数量（*A*34）	个
	绿色创新投入能力（*B*）	人力投入（*B*1）	物流业从业人员数量（*B*11）	万人
			R&D人员全时当量（*B*12）	人·年
			物流业劳动力质量（*B*13）	万人·年
		财力投入（*B*2）	研究与开发（R&D）经费内部支出（*B*21）	万元
			物流业固定资产投资额（*B*22）	亿元
			环境污染治理投资总额（*B*23）	亿元
			污染治理项目本年完成投资额（*B*24）	万元
	绿色创新产出能力（*C*）	经济效益（*C*1）	快递业务收入（*C*11）	万元
			物流业营业收入（*C*12）	亿元
			货物进出口总值（*C*13）	万美元
			物流业增加值（*C*14）	亿元

续表

目标层	准则层	一级指标	二级指标	单位
区域物流业绿色创新能力	绿色创新产出能力（C）	环境效益（C2）	单位增加值能源消耗量（C21）	万吨标准煤
			单位公里 CO_2 排放量（C22）	万吨
		创新成果（C3）	专利授权量（C31）	项
			技术市场成交额（C32）	万元

绿色创新支撑能力是指某个地区经济和物流业的发展情况，用来区分因地域差异等因素造成的发展不均衡。本书主要选取了 11 个二级指标，分别是交通运输路线总里程（A11）、物流业聚集度（A12）、移动电话普及率（A13）、互联网普及率（A14）、人均 GDP（A21）、省份人口数量（A22）、高等学校数量（A23）、货物运输量（A31）、货物周转量（A32）、快递业务量（A33）、物流企业数量（A34）。其中，交通运输路线总里程和物流业聚集度借鉴赵蕾（2020）的研究。交通运输路线总里程包含公路、铁路和内河道的里程。物流业聚集度用来衡量该区域物流业活力的大小。本书通过衡量这些基本指标可以判断某一地区的基本情况和物流业发展程度。

绿色创新投入能力是指该地区进行物流活动时实体资源的投入情况。本书选取了 7 个二级指标来评价该指标，分别是物流业从业人员数量（B11）、R&D 人员全时当量（B12）、物流业劳动力质量（B13）、研究与开发（R&D）经费内部支出（B21）、物流业固定资产投资额（B22）、环境污染治理投资总额（B23）、污染治理项目本年完成投资额（B24）。其中，在人力和财力投入方面借鉴了葛世帅等（2021）的研究，在人力投入方面加入物流业从业人员数量（B11）、物流业劳动力质量（B13）和 R&D 人员全时当量（B12）3 个指标；在财力投入方面加入了研究与开发经费内部支出（B21）、物流业固定资产投资额（B22）、环境污染治理投资总额（B23）和污染治理项目本年完成投资（B24）来衡量创新和绿色环保的投入情况，这些指标可以共同体现绿色创新活动的投入能力。

绿色创新产出能力是指考虑支撑能力和投入能力后，该地区取得的经济、环境和创新成果。本书选取了 8 个二级指标来评价该指标，分别是快递业务收入（*C*11）、物流业营业收入（*C*12）、货物进出口总值（*C*13）、物流业增加值（*C*14）、单位增加值能源消耗量（*C*21）、单位公里 CO_2 排放量（*C*22）、专利授权量（*C*31）、技术市场成交额（*C*32）。在考虑环境效益指标时，本书在期望产出中加入非期望产出——借鉴了王蕾（2021）的相关研究，其中物流业 CO_2 排放量选取原煤、汽油、煤油、柴油、燃料油、液化石油气和液化天然气的消耗量作为 CO_2 排放量，进而换算成单位公里 CO_2 排放量，并通过衡量物流业 CO_2 排放量和能源消耗量体现“绿色”这一概念。本书在“创新”这一概念中加入了专利授权量、技术市场成交额，综合上述指标可以衡量某一地区的物流活动中经济、绿色创新是否协调发展。

区域物流业绿色创新能力 26 个评价指标的具体含义如下。

1. 绿色创新支撑能力方面

交通运输路线总里程（*A*11）。货物运输的重要基础设施是交通路线，交通路线总里程可以反映不同地区的物流道路网络建设情况。交通运输路线里程与区域物流活跃度成正比，其单位为公里。

货物周转量 = 实际运送货物吨数 × 货物平均运距

物流业聚集度（*A*12）。物流业聚集度由该省份物流业的从业人员数量和该省份所有产业的就业人数的比值与全国范围内从事物流业的人数和全国所有从业人员的比值之比得出。物流业聚集度高的区域，其物流业活力更高、地区就业岗位更多、物流业发展水平更高，其单位为%。公式如下。

$$PD_i = \frac{u_i/u}{U_i/U} \tag{7.1}$$

其中，PD_i 表示第 i 个省份的物流业聚集度；u_i 表示第 i 个省份物流业从业人员数量；u 表示第 i 个省份全部行业的从业人员数量；U_i 表示全国物流业从业人员数量；U 表示全国所有就业人数。

移动电话普及率（*A*13），指的是报告期行政区域常住人口中，平均每百人拥有的移动电话数量，通常用来衡量一个地区电信通信水平，是反映某地区科技文化水平及文明程度的重要标志。其单位为部/百人。

互联网普及率（$A14$），指的是该省份互联网用户在该省份常住人口中所占的比例。该指标反映一个地区经常使用网络的人口比例，通常用来衡量某地区的信息化发达程度，其单位为%。

人均 GDP（$A21$），指的是总产出和总人口的比值。该指标是把握一个国家或地区的宏观经济运行状况的有效工具，常作为发展经济学中衡量经济发展状况的指标，是最重要的宏观经济指标之一，其单位为元。

省份人口数量（$A22$），指的是以数量表示某省份人口的存在和变化程度，其单位为万人。

高等学校数量（$A23$），指的是某省份普通高等学校的数量。该指标用来衡量人才培养和输送能力，其单位为所。

货物运输量（$A31$），指在一定时期内，各种运输工具实际运送的货物重量。该指标是反映运输业为国民经济和人民生活服务的数量指标，也是制订和检查运输生产计划、研究运输发展规模和速度的重要指标，其单位为万吨。

货物周转量（$A32$），指在一定时期内，由各种运输工具运送的货物数量与其相应运输距离的乘积之和。该指标是反映运输业生产总成果的重要指标，也是编制和检查运输生产计划、计算运输效率、计算劳动生产率以及核算运输单位的主要基础资料的硬性指标，其单位为亿吨公里。

快递业务量（$A33$），指在我国邮政管理部门获得快递业务经营许可的快递企业收寄的各类快递业务的总数量。该指标是用来衡量快递企业市场规模的硬性指标，其单位为万件。

物流企业数量（$A34$），指的是某省份从事物流行业公司的数量。该指标用来衡量区域物流业的发展程度，其单位为个。

2. 绿色创新投入能力方面

物流业从业人员数量（$B11$），指企业中直接或间接从事物流活动的人数。该指标用来衡量从事物流业的人员规模，其单位为万人。

R&D 人员全时当量（$B12$），指地区从事研究和试验的人员规模，用 R&D 全时人员工作量与非全时人员按实际工作时间折算的工作量之和来表示。该指标反映区域科学研究和发明创新的能力，其单位为人·年。

物流业劳动力质量（*B*13），指的是该地区从事物流业劳动力人口的质量，用行业从业人员总数量和当地人均受教育年限乘积来表示。该指标反映区域物流业从业人员的质量水平，其单位为万人·年。

研究与开发（R&D）经费内部支出（*B*21），指的是该地区在一定时间内用于基础应用研究和开发等创新活动的费用支出。该指标用于反映物流业创新研究的支出费用，其单位为万元。

物流业固定资产投资额（*B*22），指的是一定时间内物流行业用于购置和建造基础设施设备等固定资产的支出投资。该指标用来衡量该地区对物流业建设的投资程度，其单位为亿元。

环境污染治理投资总额（*B*23），是指用于基础环境建设、污染源质量改善和当年完成环保验收项目的环保投资额。该指标用来衡量地区对物流业的环境治理投资程度，其单位为亿元。

污染治理项目本年完成投资额（*B*24），是指用于治理废水、废气、固体废弃物、噪声等其他污染治理项目的投资额。该指标用来衡量地区对物流业的污染治理项目的投资程度，其单位为万元。

3. 绿色创新产出能力方面

快递业务收入（*C*11），是指快递企业经常性的主要业务产生的基本收入。该指标用来衡量快递业务的经济收益，其单位为万元。

物流业营业收入（*C*12），指的是物流企业运输、仓储、流通加工等各类业务的收入总和。该指标用来衡量物流行业的经济收益，其单位为亿元。

货物进出口总值（*C*13），指的是实际进出我国海关，并能引起我国境内物质资源增加或减少的进出口货物总金额。该指标用来衡量区域对外贸易的经济收益和规模，其单位为万美元。

物流业增加值（*C*14），由各服务类型的物流行业增加值和邮政业物流增加值组成，是反映物流业发展的核心指标，其单位为亿元。

单位增加值能源消耗量（*C*21），指的是规定的耗能体系在一段时间内实际消耗的各种能源实物量，用综合能源消耗量和增加值比值表示。该指标用来衡量物流业的能源消耗量和经济发展是否协调，其单位为万吨标准煤。

单位公里 CO_2 排放量（$C22$），具体指物流运输过程中排放尾气污染环境，二氧化碳导致温室效应，对于物流业绿色评价具有较大影响，用 CO_2 排放量和交通运输路线总里程比值表示。该值越小，则说明物流的绿色水平越高；反之，则说明水平越低。其单位为万吨。具体公式如下。

$$C_n = \sum_{i=1}^{7} A_i c_i \tag{7.2}$$

$$\overline{C}_n = C_n / R_n \tag{7.3}$$

本书选取消耗量最大的原煤、汽油、煤油、柴油、燃料油、液化石油气和液化天然气 7 种能源折算成标准煤来代表物流业的能源消耗量。其中，$\overline{C}_n$ 表示第 n 个省份单位公里 CO_2 排放量；R_n 表示第 n 个省份交通运输路线总里程；C_n 表示第 n 个省份 CO_2 排放总量；A_i 表示第 i 种能源消耗量所转化的标准煤量；c_i 表示第 i 种能源的碳排放系数，该系数按照 IPCC2006 标准中的碳排放因子来确定。

专利授权量（$C31$），指的是在一定时间内该地区向知识产权局专门机构申请专利时最终获得的专利授权的数量。该地区的专利授权量越多，则说明该地区的创新能力越强，其单位为项。

技术市场成交额（$C32$），指登记合同成交总额中，明确规定属于技术交易的金额；若属于技术成交范围，则该指标可以衡量技术创新力度。其单位为万元。

7.3　评价方法确定

本研究的评价对象是全国 31 个省份。本研究的评价指标数量大，指标间联系密切，不仅要评估时间维度上的动态变化过程，还要评估时间点上的静态情况，这是一个复杂且综合性很强的问题。想要准确、客观地反映以上问题，需要考虑很多因素。本研究选取的评价方法有熵权 TOPSIS 法和空间计量分析法。

7.3.1 熵权 TOPSIS 法

本书将熵权 TOPSIS 法作为评价区域物流业绿色创新能力的方法。C. L. Hwang 和 K. Yoon 于 1981 年首次提出 TOPSIS 法。TOPSIS 法是一种常用的组内综合评价方法，能充分利用原始数据的信息，其结果能精确地反映各评价方案间的差距。本方法的基本思想是归一化后的原始数据矩阵，采用余弦法找出有限方案中的最优方案和最劣方案，然后分别检测各评价对象与最优方案和最劣方案间的距离，获得各评价对象与最优方案的相对接近程度，以此作为评价优劣的依据。该方法对数据分布及样本含量没有严格限制，数据计算简单易行。

传统的 TOPSIS 法中权重是相同的，都为 1。后来学者采用专家打分法、因子分析法、主成分法等确定指标权重。在众多方法中，熵权法最大的优点是符合数学规律，具有严格的数学意义，避免了权重赋予时的主观性。本书指标个数为 26，研究对象个数为 31，指标个数小于研究对象个数且时间跨度大于 10 年，在计算信息熵时，时间序列越长，所得结果越客观、效果越精准，因此，本书选择熵权法确定指标，是优化了 TOPSIS 法。

根据上述分析，本书运用熵权 TOPSIS 组合方法构建区域物流业绿色创新能力评价模型，主要原理是用熵权法客观确定权重，用 TOPSIS 法对其绿色创新能力进行测算评价。具体计算步骤如下。

第一步：设有 m 个样本，n 个评价指标，原始矩阵可组合为

$$X=(x_{ij})_{m\times n}=\begin{pmatrix} x_{11} & \cdots & x_{1n} \\ \vdots & \ddots & \vdots \\ x_{m1} & \cdots & x_{mn} \end{pmatrix} \tag{7.4}$$

第二步：将指标原始数据做归一化处理，得到标准化矩阵 $B=b_{ij}$：

$$b_{ij}=\frac{x_{ij}}{\sqrt{\sum_{i=1}^{m}x_{ij}^2}}\quad (i=1,\ 2,\ \cdots,\ m;\ j=1,\ 2,\ \cdots,\ n) \tag{7.5}$$

第三步：计算第 j 个指标所占比重 p_{ij}：

$$p_{ij}=\frac{b_{ij}}{\sqrt{\sum_{i=1}^{m}b_{ij}}}\quad (i=1,\ 2,\ \cdots,\ m;\ j=1,\ 2,\ \cdots,\ n) \tag{7.6}$$

第四步：计算第 j 个指标的熵值 e_j：

$$e_j = -k\sum_{i=1}^{m}p_{ij}\ln p_{ij}\quad(i=1,\ 2,\ \cdots,\ m) \tag{7.7}$$

其中，常数 $k=\frac{1}{\ln m}$（$0<e<1$）。

第五步：计算第 j 个指标的熵权 w_j：

$$w_j = \frac{1-e_j}{\sum_{j=1}^{n}(1-e_j)}\quad(j=1,\ 2,\ \cdots,\ n) \tag{7.8}$$

第六步：计算加权矩阵 R：

$$R=(r_{ij})=\begin{pmatrix} w_1 b_1 & \cdots & w_n b_{1n} \\ \vdots & \ddots & \vdots \\ w_1 b_{m1} & \cdots & w_n b_{mn} \end{pmatrix} \tag{7.9}$$

第七步：计算正、负理想解，Z^+ 与 Z^-：

$$Z^+ = \max\{r_{ij} \mid i=1,\ 2,\ \cdots,\ m\} \tag{7.10}$$

$$Z^- = \min\{r_{ij} \mid i=1,\ 2,\ \cdots,\ m\} \tag{7.11}$$

第八步：计算各评价对象正、负理想解的欧式空间距离，记为

$$D_i^+ = \sqrt{\sum_{j=1}^{n}(r_{ij}-z_j^+)^2},\ (j=1,\ 2,\ \cdots,\ n) \tag{7.12}$$

$$D_i^- = \sqrt{\sum_{j=1}^{n}(r_{ij}-z_j^-)^2},\ (j=1,\ 2,\ \cdots,\ n) \tag{7.13}$$

第九步：求正、负理想解，得出评价指标数据与理想解的关系，即综合评价指数 C_i。C_i 的取值范围是 0～1，越接近 1 说明该省份的物流业绿色创新能力越强；越接近 0 说明该省份的物流业绿色创新能力越弱。

$$C_i = \frac{D^-}{D^+ + D^-},\ C_i \in [0,\ 1] \tag{7.14}$$

7.3.2　空间计量分析法

本书将空间计量分析法作为评价区域物流业绿色创新能力的方法。传统的统计理论假定中，所有的观测值都是独立存在的，在实际问题中，独立观测值并非普遍适用。空间计量经济学创造性地处理了经典计量方法在处理空间数据时的缺陷，在传统横截面以及面板数据的基础上引入空间数据，进而对其进行空间相关分析和空间结构分析。

在 20 世纪 60—80 年代，Moran（1950）首次提出空间相关测度概

念，Cliff 和 Ord（1973，1981）明确定义了“空间自相关”概念，提出空间依赖度统计评估步骤，奠定了空间回归模型的基础。Paelinck（1974）在荷兰统计协会年会上首次提出“空间计量经济”这一名词，于 1979 年进一步定义了空间计量经济学的 5 个研究领域。Tobler（1979）提出了地理学第一定律：“所有事物在空间上皆有联系，距离越近，联系越紧密。”Anselin（1988）发表的《空间计量经济学：方法与模型》成为空间计量经济学发展的里程碑。对于地理与经济现象结合起来、具有空间数据的问题处理，空间计量经济学经过不断地论证后足以解决该问题。其特点在于，在分析某个经济行为时考虑观测值在空间上的相互影响和差异性，这种现象被称作空间效应。人们通过在模型中引入空间权重矩阵以及构造空间滞后因子来实现空间效应。空间的依赖性和异质性形成空间效应。在现实的空间地理经济研究中，由于普遍忽略了空间的两种性质，导致问题研究不科学、不充分，该领域需要进行更进一步的探究。

（1）空间依赖性。空间识别的来源之一是空间依赖性，也称作空间自相关性。空间自相关性是研究空间中某一位置的观察值和其相邻位置的观察值是否相关，及其相关程度的一种空间数据分析方法。它产生于空间组织观测单元之间是否具有依赖性的相关研究。这种依赖性指的是某位置上的数据与其他位置上的数据的相互依赖程度，人们通常把这种依赖叫作空间依赖。地理数据由于受空间相互作用和空间扩散的影响，彼此可能不再相互独立，而是相关的。在现实生活中，真实的空间依赖同样受到以上两个因素的影响，且这种依赖性存在于空间中相关的数据结构，空间相关的强度是由绝对和相对两种位置情况共同决定的。空间自相关的度量方法分为两种，一是全局自相关，二是局部自相关，具体描述如表 7－2 所示。

表 7－2　空间自相关度量方法描述

度量方法	功能	作用	相关统计量
全域型	描述某种现象的整体分布情况	判断该现象在特定区域内是否具有集聚特征	Moran's I 统计量、Geary's C 统计量、Genneral G 统计量
区域型	描述某种现象的局部空间集聚性	判断集聚位置、探测空间异常	局域 Moran's I_i、局部 Geary's C_i、局域 Getis－Ord G_i、LISA 统计量、Moran 散点图

处理区域经济现象空间计量分析的基本思路是：采用空间统计分析法，得出 Moran's I 指数，从而检验被解释量（因变量）间是否存在空间自相关性。如果存在空间自相关性，则需要建立空间计量经济模型，并进行估计和检验；如果不存在空间自相关性，则采用经典计量经济模型即可。在上述统计量中，Moran 所提出的 Moran's I 统计量最具有代表性，该指数可以从整体上测度至少是二维空间的自相关性现象。Moran 散点图的优势是可以直观演示局部空间自相关性。

（2）空间异质性。空间异质性也称为空间差异性，它可以反映空间观测单元的经济行为之间由地理结构等因素造成的不稳定特征。比较复杂的问题是，当空间异质性和相关性同时存在时，传统的计量经济学无法有效将两者区分开来。空间的自相关性一般用 Moran's I 指数进行衡量，而空间异质性无法用一个具体的指数或者指标来进行具象计算和描述，它是一种现象或者一种性质，如在分析过程中需要充分考虑的因素或解释发生异常变化的原因。

区域物流业绿色创新能力的主体是全国 31 个省份在支撑能力、投入能力和产出能力等行为上存在的个体差异，从而导致各个主体在空间中存在明显的差异性。若主体的异质性和经济行为异质性的耦合结果导致区域物流业绿色创新能力在地理空间上具有显著的异质性特征，进而可能导致区域物流业绿色创新能力在地理空间上的依赖或者集聚特性。

（3）Moran's I 指数。Moran's I 统计量是一种应用非常广泛的空间自相关统计量，被用来反映空间邻近或者邻接空间单位属性值的相似程度，它的具体形式如下。

$$I = \frac{n}{S_0} \cdot \frac{\sum_{i=1}^{n}\sum_{j=1}^{n} w_{ij} (x_i - \bar{x})(x_j - \bar{x})}{\sum_{i=1}^{n} (x_i - \bar{x})^2} \tag{7.15}$$

其中，x_i 表示第 i 个空间位置上的观测值；$\bar{x} = \frac{1}{n}\sum_{i=1}^{n} x_i$；$w_{ij}$ 是空间权重 w（$n \times n$）的元素，表示空间单元之间的拓扑关系，n 等于要素总数；S_0 是空间权重矩阵 W 的所有元素之和。

$$S_0 = \sum_{i=1}^{n}\sum_{j=1}^{n} w_{ij} \tag{7.16}$$

本书在对观测值在空间上不存在空间自相关这一原假设进行检验时，一般根据标准化后的 Moran's I 值或 Z 值处理，即

$$Z_I = \frac{I - E[I]}{\sqrt{V[I]}} \tag{7.17}$$

其中，

$$E[I] = -1/(n-1) \tag{7.18}$$

$$V[I] = E[I^2] - E[I]^2 \tag{7.19}$$

通常将 Moran's I 解释为一个相关系数，取值范围是［-1，1］。$0 < I < 1$ 表示正的空间自相关，$I = 0$ 表示不存在空间自相关，$-1 < I < 0$ 表示负的空间自相关。当 Moran's I 显示为正时，表示存在显著的正相关，相似的观测值趋于空间集聚；当 Moran's I 显示为负时，表示存在显著的负相关，相似的观测值趋于分散分布；当 Moran's I 接近期望值，即趋于 0 时，表示不存在空间自相关，观测值在空间上随机排列，满足经典统计分析所要求的独立、随机分布假设。

（4）Moran 散点图。Moran's I 指数用来测度区域经济行为在全局上的空间自相关性，而 Moran 用来测度局部空间的自相关性。Moran 散点图是对 Moran's I 指数的进一步补充和解释，用来探索空间关联的全局模式、识别空间异常和局部不平稳等问题。本书将变量在每个位置上的观测值表示在横轴上，将空间滞后表示在纵轴上，二者的相关关系用坐标系中的散点形象表示。

在一个坐标系中，散点图可能分散在第一、第二、第三和第四象限。

每个象限表示的意义均不相同。其中，第一象限（H－H）和第三象限（L－L）对应正的空间自相关，表示该位置上的观测值和邻近的观测值相似，即第一象限表示物流业绿色创新能力高的区域被同样物流业绿色创新能力高的区域包围；第三象限表示物流业绿色创新能力低的区域被同样物流业绿色创新能力低的区域包围。第二象限（L－H）和第四象限（H－L）对应负的空间自相关，表示该位置上的观测值与邻近的观测值相异，即第二象限表示物流业绿色创新能力低的区域被物流业绿色创新能力高的区域包围；第四象限表示物流业绿色创新能力高的区域被物流业绿色创新能力低的区域包围。

对变量观测值和空间滞后进行线性拟合，直线的斜率即为 Moran's I 指数值。此外，通过观察 Moran 散点图第二象限和第四象限可以发现潜在的空间异常。以散点图的象限中心点为圆点，做一个半径为 2 的圆，圆以外的观测点为异常值。

第 8 章　区域物流业绿色创新能力评价实证分析

在确定区域物流业绿色创新能力评价指标体系和评价方法的基础上，本章以 31 个省份为空间观测单元，将 2010—2019 年我国区域物流业绿色创新能力综合指数作为观测值，对区域物流业绿色创新能力进行时间维度的分析，并分析其时间演化规律。在此基础上，本章采用空间计量分析法，从空间角度描述我国区域物流业绿色创新能力的分异现状，为探究其影响因素做铺垫。

8.1　研究区域与数据来源

本章采用的地区划分严格遵照国家统计局的分类标准，将 31 个省份划分为东部、西部、中部和东北地区。

为了保证数据的完整性和一致性，本章研究选取的样本是除中国港、澳、台三地外的 31 个省份，年限为 2010—2019 年的数据，每年选取 26 个指标。本章数据的主要来源是《中国统计年鉴》《中国能源统计年鉴》《中国环境统计年鉴》《中国科技统计年鉴》等。本章借鉴已有研究成果，选择以交通运输、仓储以及邮政业的原始数据近似代表物流业的指标数据。对于个别缺失数据，本章采用 Excel 线性拟合进行合理补充。

8.2　权重确定

本节对 26 个指标原始数据进行归一化处理，根据本书中式（7.4）至式（7.14）计算各指标权重，具体结果如表 8 - 1 所示。

表 8－1　指标权重

<table>
<tr><th></th><th>准则层</th><th>一级指标</th><th>二级指标</th><th>权重比例</th></tr>
<tr><td rowspan="24">区域物流业绿色创新能力</td><td rowspan="11">绿色创新支撑能力（0.4177）</td><td rowspan="4">基础设施（0.1496）</td><td>交通运输路线总里程</td><td>0.0372</td></tr>
<tr><td>物流业集聚度</td><td>0.0365</td></tr>
<tr><td>移动电话普及率</td><td>0.0364</td></tr>
<tr><td>互联网普及率</td><td>0.0395</td></tr>
<tr><td rowspan="3">宏观环境（0.1091）</td><td>人均 GDP</td><td>0.0363</td></tr>
<tr><td>省份人口数量</td><td>0.0369</td></tr>
<tr><td>高等学校数量</td><td>0.0359</td></tr>
<tr><td rowspan="4">物流环境（0.1590）</td><td>货物运输量</td><td>0.0370</td></tr>
<tr><td>货物周转量</td><td>0.0393</td></tr>
<tr><td>快递业务量</td><td>0.0449</td></tr>
<tr><td>物流企业数量</td><td>0.0378</td></tr>
<tr><td rowspan="7">绿色创新投入能力（0.2685）</td><td rowspan="3">人力投入（0.1137）</td><td>物流业从业人员数量</td><td>0.0369</td></tr>
<tr><td>R&D 人员全时当量</td><td>0.0398</td></tr>
<tr><td>物流业劳动力质量</td><td>0.0370</td></tr>
<tr><td rowspan="4">财力投入（0.1548）</td><td>研究与开发（R&D）经费内部支出</td><td>0.0407</td></tr>
<tr><td>物流业固定资产投资额</td><td>0.0387</td></tr>
<tr><td>环境污染治理投资总额</td><td>0.0375</td></tr>
<tr><td>污染治理项目本年完成投资额</td><td>0.0379</td></tr>
<tr><td rowspan="8">绿色创新产出能力（0.3138）</td><td rowspan="4">经济效益（0.1642）</td><td>快递业务收入</td><td>0.0433</td></tr>
<tr><td>物流业营业收入</td><td>0.0394</td></tr>
<tr><td>货物进出口总值</td><td>0.0445</td></tr>
<tr><td>物流业增加值</td><td>0.0370</td></tr>
<tr><td rowspan="2">环境效益（0.0686）</td><td>单位增加值能源消耗量</td><td>0.0340</td></tr>
<tr><td>单位公里 CO_2 排放量</td><td>0.0346</td></tr>
<tr><td rowspan="2">创新成果（0.0810）</td><td>专利授权量</td><td>0.0412</td></tr>
<tr><td>技术市场成交额</td><td>0.0397</td></tr>
</table>

8.3　区域物流业绿色创新能力评价综合分析

本节利用 7.3.1 小节评价模型，计算评价区域物流业绿色创新能力的综合指数和排名情况，并将计算结果按照年份进行整理，具体结果如表 8－2 所示。

表 8-2 全国 31 个省份 2010—2019 年物流业绿色创新能力综合指数及排名

省份	2010 年		2011 年		2012 年		2013 年		2014 年	
	C_i	排名	C_i	排名	C_i	排名	C_i	排名	C_i	排名
北京	0.4260	5	0.4587	5	0.4426	5	0.4527	4	0.4560	4
天津	0.2243	13	0.2453	13	0.2244	15	0.2167	16	0.2233	15
河北	0.2742	9	0.3086	7	0.2862	9	0.3053	8	0.3062	8
山西	0.1879	17	0.1958	17	0.1909	17	0.1930	18	0.1700	19
内蒙古	0.1739	18	0.2515	12	0.2445	13	0.2547	13	0.2584	13
辽宁	0.2537	10	0.2916	8	0.2836	10	0.2789	10	0.2674	11
吉林	0.1068	24	0.1114	26	0.1074	27	0.1119	26	0.1105	26
黑龙江	0.1485	21	0.1522	22	0.1478	22	0.1556	22	0.1467	22
上海	0.5254	2	0.5442	3	0.5147	3	0.5174	3	0.5118	3
江苏	0.4903	3	0.5549	2	0.5321	2	0.5654	2	0.5476	2
浙江	0.3613	6	0.4003	6	0.4100	6	0.4357	6	0.4381	6
安徽	0.2046	14	0.2317	14	0.2881	8	0.2840	9	0.2727	10
福建	0.2825	8	0.2915	9	0.3053	7	0.3197	7	0.3151	7
江西	0.1590	19	0.1757	19	0.1800	19	0.1851	19	0.1803	18
山东	0.4287	4	0.4743	4	0.4519	4	0.4373	5	0.4483	5
河南	0.3245	7	0.2742	10	0.2686	11	0.2786	11	0.2800	9
湖北	0.2293	12	0.2292	15	0.2304	14	0.2469	14	0.2498	14
湖南	0.2027	15	0.2151	16	0.2128	16	0.2180	15	0.2104	16
广东	0.6300	1	0.6128	1	0.6139	1	0.6485	1	0.6403	1
广西	0.1409	22	0.1525	21	0.1514	21	0.1636	21	0.1552	21
海南	0.0623	29	0.0691	29	0.0747	29	0.0689	29	0.0688	29
重庆	0.1495	20	0.1664	20	0.1642	20	0.1662	20	0.1668	20
四川	0.2337	11	0.2515	11	0.2513	12	0.2561	12	0.2611	12
贵州	0.0919	27	0.1174	24	0.1207	25	0.1304	25	0.1372	25
云南	0.1311	23	0.1378	23	0.1407	23	0.1446	23	0.1428	23
西藏	0.0216	31	0.0272	31	0.0329	31	0.0345	31	0.0365	31
陕西	0.1909	16	0.1837	18	0.1814	18	0.1996	17	0.1861	17
甘肃	0.0921	26	0.0915	27	0.1081	26	0.0990	27	0.0951	27
青海	0.0473	30	0.0538	30	0.0549	30	0.0585	30	0.0560	30
宁夏	0.0813	28	0.0884	28	0.0838	28	0.0870	28	0.0826	28
新疆	0.1066	25	0.1160	25	0.1250	24	0.1341	24	0.1383	24
北京	0.4348	6	0.4399	6	0.4183	6	0.3961	6	0.3903	6

续表

省份	2015 年		2016 年		2017 年		2018 年		2019 年	
	C_i	排名	C_i	排名	C_i	排名	C_i	排名	C_i	排名
天津	0.2179	16	0.2033	16	0.1888	16	0.1742	20	0.1709	19
河北	0.3013	8	0.2765	9	0.2829	9	0.3302	7	0.2855	8
山西	0.1710	20	0.1821	20	0.1846	19	0.1790	18	0.1676	21
内蒙古	0.2481	14	0.2325	14	0.2282	13	0.2218	13	0.2301	13
辽宁	0.2585	13	0.2349	13	0.2226	14	0.1953	15	0.1888	15
吉林	0.1112	26	0.1092	26	0.1073	26	0.1048	26	0.1038	26
黑龙江	0.1469	23	0.1444	23	0.1330	25	0.1184	25	0.1196	25
上海	0.5182	3	0.5165	3	0.5086	3	0.4823	4	0.4838	4
江苏	0.5821	2	0.5478	2	0.5231	2	0.5474	2	0.5290	2
浙江	0.4849	4	0.4887	4	0.4786	4	0.4865	3	0.4948	3
安徽	0.2677	10	0.2735	10	0.2627	11	0.2706	10	0.2717	9
福建	0.3254	7	0.3003	8	0.2889	8	0.2769	9	0.2353	12
江西	0.1859	18	0.1908	18	0.1867	17	0.1822	17	0.1834	16
山东	0.4511	5	0.4611	5	0.4681	5	0.4319	5	0.4421	5
河南	0.2892	9	0.3012	7	0.3062	7	0.3054	8	0.3105	7
湖北	0.2610	12	0.2729	11	0.2572	12	0.2665	12	0.2625	11
湖南	0.2359	15	0.2130	15	0.2091	15	0.2111	14	0.2059	14
广东	0.6526	1	0.6519	1	0.6729	1	0.6751	1	0.6785	1
广西	0.1674	21	0.1588	21	0.1525	22	0.1532	22	0.1573	22
海南	0.0763	28	0.0780	29	0.0775	28	0.0695	28	0.0752	28
重庆	0.1760	19	0.1908	17	0.1787	20	0.1683	21	0.1702	20
四川	0.2623	11	0.2665	12	0.2689	10	0.2703	11	0.2666	10
贵州	0.1465	24	0.1427	24	0.1475	23	0.1395	23	0.1348	23
云南	0.1513	22	0.1536	22	0.1616	21	0.1748	19	0.1807	18
西藏	0.0359	31	0.0391	31	0.0399	31	0.0426	31	0.0452	31
陕西	0.1910	17	0.1896	19	0.1858	18	0.1889	16	0.1820	17
甘肃	0.0930	27	0.0957	27	0.0901	27	0.0891	27	0.0921	27
青海	0.0562	30	0.0621	30	0.0605	30	0.0539	30	0.0571	30
宁夏	0.0757	29	0.0838	28	0.0674	29	0.0687	29	0.0720	29
新疆	0.1308	25	0.1246	25	0.1343	24	0.1288	24	0.1336	24

根据表8－2结果可知，综合评价指数可以表现为正、负理想距离结果，该值越接近1，说明评价对象越接近最优水平。本书根据计算结果绘制区域物流业绿色创新能力评价指标的综合评价值，并对增长趋势进行线性拟合，具体内容如图8－1所示。从图8－1可以看出，区域物流业绿色创新能力呈现水平增长趋势。2010—2016年，区域物流业绿色创新能力趋势呈现双“M”形增长，2015年达到最高贴近度0.77061，此时，我国物流业绿色创新能力水平接近最优；2016—2019年，虽然区域物流业绿色创新能力综合评价指数呈下降趋势，但整体水平依然呈现上升趋势。随着国家科技与经济的发展，其综合评价指数从2010年的0.69768增长到2019年的0.73209，这说明区域物流业绿色创新能力逐渐提高。

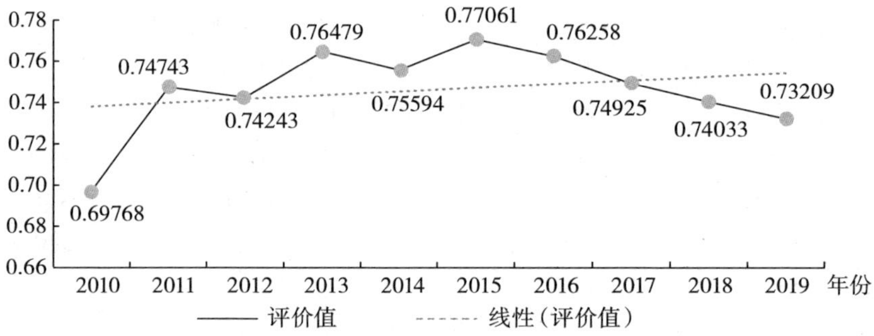

图8－1　2010—2019年区域物流业绿色创新能力评价值与线性拟合

本书根据表8－2的综合指数得分情况，将31个省份划分为六大类，分别为绿色创新能力极强（Ⅰ）、强（Ⅱ）、较强（Ⅲ）、中等（Ⅵ、Ⅳ）、较弱（Ⅴ）和极弱（Ⅵ），分类结果如表8－3所示。

表8－3　2010—2019年区域物流业绿色创新能力类型划分及省份变动情况

年份	Ⅰ	Ⅱ	Ⅲ	Ⅳ	Ⅴ	Ⅵ
2010	江苏、浙江、山东、广东	北京、上海	安徽、河南	天津、福建	河北、山西、辽宁、江西、湖北、湖南、广西、重庆、四川、陕西、内蒙古、黑龙江	吉林、海南、贵州、云南、西藏、甘肃、青海、宁夏、新疆

续表

年份	Ⅰ	Ⅱ	Ⅲ	Ⅳ	Ⅴ	Ⅵ
2011	江苏、浙江、山东、广东	北京、上海	安徽、河南、湖北、湖南、四川	山西、吉林、江西、广西、重庆、贵州、云南、陕西、甘肃、新疆、黑龙江	天津、河北、辽宁、福建、内蒙古	海南、西藏、青海、宁夏
2012	江苏、浙江、山东、广东	北京、上海	河北、安徽、河南、湖北、湖南、四川	天津、福建、辽宁、内蒙古	山西、吉林、江西、广西、重庆、贵州、云南、陕西、甘肃、新疆、黑龙江	海南、西藏、青海、宁夏
2013	山东、广东、浙江、江苏	北京、上海	四川、湖南、湖北、河南、辽宁、安徽、河北	天津、福建、内蒙古	云南、甘肃、新疆、贵州、吉林、广西、江西、重庆、山西、陕西、黑龙江	海南、西藏、青海、宁夏
2014	山东、广东、浙江、江苏	北京、上海	河北、辽宁、安徽、河南、湖北、湖南、四川	天津、福建、内蒙古	山西、吉林、江西、广西、重庆、贵州、云南、陕西、甘肃、新疆、黑龙江	海南、西藏、青海、宁夏
2015	江苏、浙江、山东、广东	北京、上海	河北、辽宁、安徽、河南、湖北、湖南、四川	天津、福建、内蒙古	山西、吉林、新疆、江西、广西、重庆、贵州、云南、陕西、甘肃、黑龙江	海南、西藏、青海、宁夏
2016	山东、广东、浙江、江苏	北京、上海	河北、安徽、河南、湖北、湖南、四川	天津、辽宁、福建、内蒙古	山西、吉林、江西、广西、重庆、贵州、云南、陕西、甘肃、新疆、黑龙江	海南、西藏、青海、宁夏
2017	山东、广东、江苏、浙江	北京、上海	河北、安徽、河南、湖北、湖南、四川	天津、辽宁、福建、内蒙古	山西、吉林、新疆、江西、广西、重庆、贵州、云南、陕西、甘肃、黑龙江	海南、西藏、青海、宁夏

续表

年份	Ⅰ	Ⅱ	Ⅲ	Ⅳ	Ⅴ	Ⅵ
2018	江苏、浙江、广东	北京、上海	河北、安徽、山东、河南、湖北、湖南、四川	天津、福建、内蒙古	山西、辽宁、吉林、江西、广西、重庆、贵州、云南、陕西、甘肃、新疆、黑龙江	海南、西藏、青海、宁夏
2019	山东、广东、浙江、江苏	北京、上海	四川、湖南、安徽、河南、河北	天津、湖北、内蒙古	贵州、甘肃、吉林、云南、广西、陕西、重庆、江西、新疆、山西、福建、辽宁、黑龙江	海南、西藏、青海、宁夏

从表8－3可以观察到，2010—2019年，物流业的绿色创新能力处在波动的状态，其变化是动态的。2010—2014年，波动幅度较大，一些处于较弱和极弱类别的省份开始向较强和中等类别靠近；2015—2019年波动幅度较小，基本上处于平稳状态，个别省份有变动，大规模变化未出现。在前5种类型中，每年的情况均有变化，较为稳定的是前两种类别，在极强和较强类别中，广东、浙江、江苏、上海和北京的物流业绿色创新能力一直处于领先位置；大多数省份聚集在第Ⅲ类、第Ⅳ类和第Ⅴ类，这表示大多数省份的物流业绿色创新能力处于中等水平，提升效果不明显；最后一类（极弱）包含的省份较为固定，其物流业绿色创新能力处于较低的水平，进步不明显。

通过上述分析可以看出，2010—2019年区域物流业绿色创新能力不断发生变化，同时在空间水平上体现出较大的差异。因此，为了进一步探析区域物流业绿色创新能力演化规律，本章将从时间维度和空间维度两个方面进行分析。

8.3.1 区域物流业绿色创新能力时间维度分析

1. 全国层面区域物流业绿色创新能力分析

根据区域物流业绿色创新能力绿色创新综合评价值，本节将每年的最高值、最低值和平均得分进行整理，以探求全国区域物流业绿色创新能力整体动态变化趋势，整理结果如图8－2所示。

从图 8－2 可以看出：2019 年，我国区域物流业绿色创新能力的综合指数平均值为 0.236158，比 2010 年提高了 4.84%，全国 31 个省份中，高于区域物流业绿色创新能力平均分的省份所占比例为 35.48%。2010—2019 年，广东省的得分始终保持第 1，代表了区域物流业绿色创新能力的最高水平。

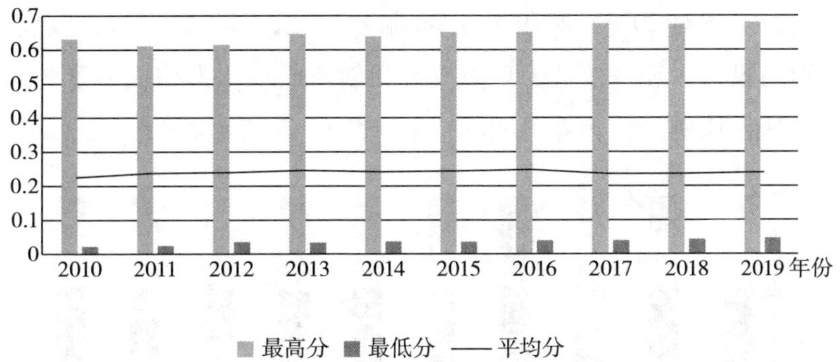

图 8－2　2010—2019 年全国区域物流业绿色创新能力整体变化情况

结合表 8－2 进一步分析局部变化情况可以看出，2010—2019 年，黑龙江从第 21 名下降到第 25 名、吉林从第 24 名下降到第 26 名、辽宁从第 10 名下降到第 15 名。东北地区物流企业数量较多，发挥着连接俄罗斯、东北亚和欧洲的重要作用，形成了以“长、大、厚、重”的装备制造业和重化工企业为核心的密集产业带，其物流企业的类型有传统储运转型的企业、新兴民营物流企业、外资物流企业和快递行业。东北企业具有良好的发展基础，《沈阳市“十四五”现代物流业发展规划》指出，到 2025 年，沈阳将初步建立现代物流体系，布局建设三大国家物流枢纽，“七廊六带”畅通吉林、黑龙江、内蒙古的东北区域物流通道等，预计物流业增加值超过 800 亿元，A 级及以上物流企业数量达到 100 家。2019 年，东北地区物流业实现增加值 2420.8 亿元，比 2010 年增长 36.76%。在物流产业扩大和业务增加的同时，东北部地区面临很多发展瓶颈，如现代化水平低和人才不足等问题。西部地区进步速度较快的有：内蒙古从第 18 名上升到第 13 名、贵州从第 27 名上升到第 23 名、云南从第 23 名上升到第 18 名。中部地区中，安徽从第 14 名上升到第 9 名、山西退步了 4 名。东部地区的福建和天津分别退步了4名和6名；而广东、江苏、上海一直保持领先地位；浙江在2015年进步很快，从第6名跃居到第4名，2018年和2019年超越上海跻身于第3名。从整体上来看，各省份之间物流业绿色创新能力发展不平衡。

为了进一步研究我国区域物流业绿色创新能力2010—2019年的变化情况和原因，本章对2010—2019年的基础设施、宏观环境、物流环境、人力投入、财力投入、经济效益、环境效益和创新成果八大构成要素的综合指数得分和所占比例进行测算，测算结果如图8-3所示。

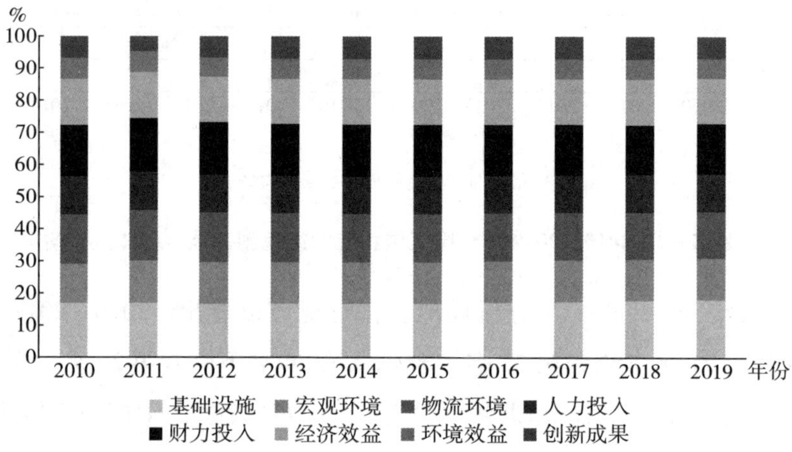

图8-3　2010—2019年全国物流业绿色创新能力八大构成要素贡献度占比

由图8-3可知，从构成要素来看，在基础设施、宏观环境、物流环境、人力投入、财力投入、经济效益、创新成果七大要素上，2010—2019年，我国区域物流业绿色创新能力各要素占比出现了一定的变化，对区域物流绿色创新能力推动作用较大的因素是基础设施和财力投入：基础设施2010—2019年平均占比约为15%，财力投入2010—2019年平均占比约为13%。占比相对较低的是环境效益和创新成果：环境效益2010—2019年平均占比约为5%，创新成果2010—2019年平均占比不足7%。可以看出，基础设施比环境效益约高10%，财力投入比创新成果约高6%，这说明我国目前区域物流业绿色创新能力主要是由基础设施和财力投入驱动而不是由创新成果驱动的。

2. 四大地区物流业绿色创新能力分析

我国的经济区域通常划分为东部、中部、西部和东北四大地区，为了了解不同区域2010—2019年物流业绿色创新能力的变化趋势及创新能力要素的差异，下文将从四大地区绿色创新能力增速、绿色创新能力水平、构成要素贡献3个方面进行深入分析。

（1）四大地区物流业绿色创新能力增速比较。根据表8－2中全国31省份2010—2019物流业绿色创新能力综合指数得分，本书对四大区域得分进行整理，计算出2010—2019年物流业绿色创新能力平均增速，结果如图8－4所示。虽然东部地区物流业绿色创新能力综合指数值占据绝对优势地位，但从增速来看，西部地区物流业绿色创新能力增速最快，中部地区增速较慢，东北地区物流业绿色创新能力呈负增长态势。

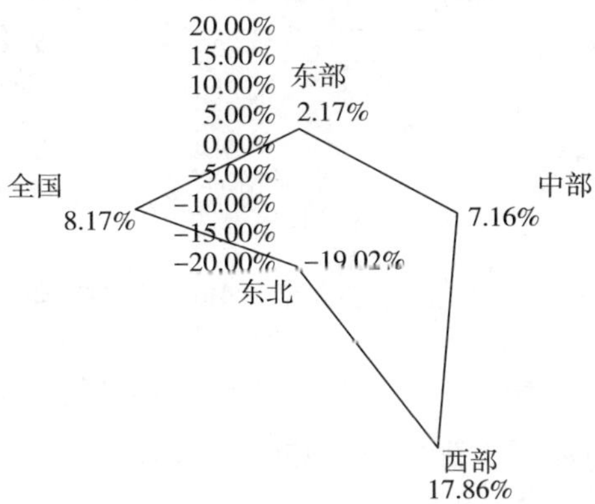

图8－4　2010—2019年全国物流业绿色创新能力增速比较

如图8－4所示，全国物流业绿色创新能力的平均增速为8.17%，东部地区物流业绿色创新能力的增速为2.17%，中部地区物流业绿色创新能力的增速为7.16%，西部地区物流业绿色创新能力的增速为17.86%，东北地区物流业绿色创新能力的增速为－19.02%。从整体角度来看，全国呈正增长趋势，这说明我国物流业比2010年在绿色创新能力方面有所进步和提高，其中进步最大的是西部地区，其次是中部地区，再次是东部地区，东北地区呈负增长态势。上述结果说明，在区域发展不平衡的前提下，西部大开发战略的实施，推动了西部与东部、中部的商品交流和对外贸易的增加，拓展了西部物流市场空间。西部大开发总体规划的第二个阶段为2011—2030年，在这个阶段之前，国家对基础设施进行改善、结构调整后将重点放在实现经济产业化、生态化的全面升级上，其物流业绿色创新能力实现较快增长。所以，政策战略支持对西部物流业绿色创新能力有很大的促进作用。

根据表8－2的内容，为了更直观地研究中部、西部和东北地区与东部地区的差距，本章对四大地区2010年和2019年两年总得分进行整理，并比较中部、西部和东北地区与东部地区物流业绿色创新能力综合得分的相对差距，结果如图8－5所示。

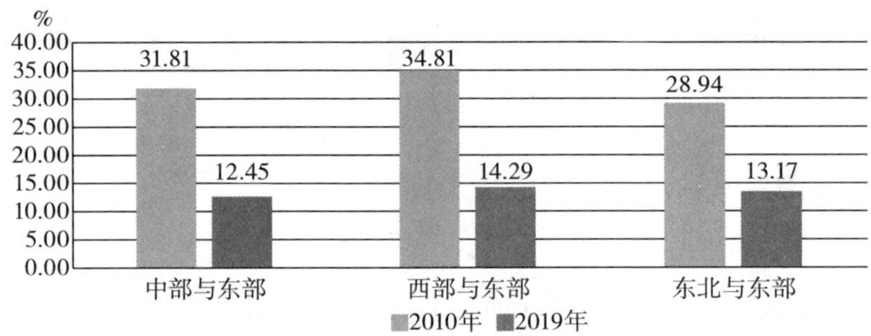

图8－5　中部、西部、东北三大地区与东部地区2010年与2019年综合得分相对差距比较

由图8－5可知，2010年中部地区得分相对于东部地区得分的差距为31.81%，2019年的相对差距为12.45%，减少了19.36个百分点；2010年，西部地区得分相对于东部地区绿色创新能力相对差距为34.81%，2019年的相对差距为14.29%，减少了20.52个百分点；2010年，东北地区得分相对于东部地区得分的比例为28.94%，2019年的相对比例为13.17%，减少了15.77个百分点。由此可以看出，2019年相较于2010年，中部、西部与东部地区物流业的绿色创新能力差距在逐步缩小，减小幅度最大的为西部地区，由图8－4可知，中、西部地区物流业绿色创新能力的增速分别为7.16%和17.86%，东部地区增速为2.17%，东北地区的增速为－19.02%，中、西部地区在这一时间内高速发展，缩小了与东部地区的差距。由此可见，物流业绿色创新能力增速的高低是区域差异缩小的重要原因。

（2）全国整体物流业绿色创新水平比较。根据表 8－2，本书对全国四大地区 2010—2019 年得分进行整理，绘制出物流业绿色创新能力得分图，结果如图 8－6 所示。

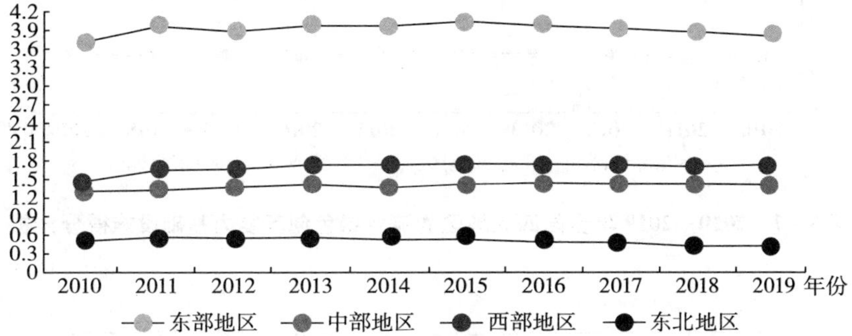

图 8－6　2010—2019 年全国四大地区物流业绿色创新能力得分分析

由图 8－6 结果可知，东部地区经过 10 年发展，物流业绿色创新能力综合得分远高于其他 3 个地区，物流业绿色创新能力整体呈增长趋势；西部地区 10 年的物流业绿色创新能力综合得分整体高于中部和东北地区，物流业绿色创新能力整体呈增长趋势，增长速度高于东部地区；中部地区 10 年的物流业绿色创新能力综合得分整体高于东北地区，物流业绿色创新能力整体呈增长趋势；东北地区 10 年的物流业绿色创新能力综合得分在四大地区中最低，物流业绿色创新能力整体呈先短暂增长再降低的趋势。

根据表 8－2，本书对四大地区 2010—2019 年基础设施综合得分进行整理，绘制出物流业绿色创新能力的基础设施得分图，结果如图 8－7 所示。

由图 8－7 可知，东部、西部地区物流业基础设施水平较高，其次是中部地区，最后是东北地区。东部、中部和东北地区物流业水平发展比较平稳，西部地区 2010—2011 年出现大幅度下滑，2015—2019 年出现上升态势。

根据表 8－2，本书对 2010—2019 年的宏观环境综合得分进行整理，绘制出物流业绿色创新能力的宏观环境得分图，结果如图 8－8 所示。

由图 8－8 可知，与基础设得分结果不同，西部地区的宏观环境得分最

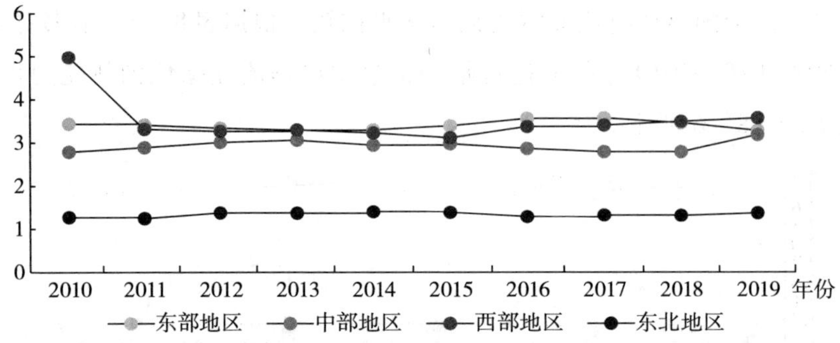

图 8－7　2010—2019 年全国四大地区物流业绿色创新能力基础设施得分分析

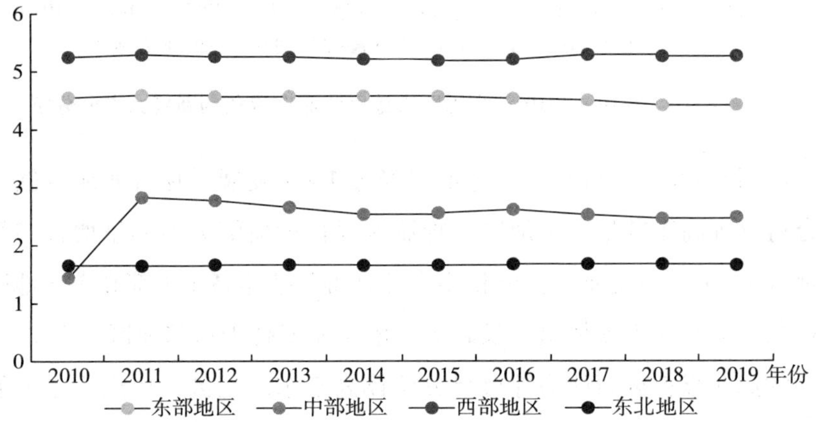

图 8－8　2010—2019 年全国四大地区物流业绿色创新能力宏观环境得分分析

高，其次是东部地区，然后是中部地区，最后是东北地区。东部、西部和东北地区的宏观环境发展较为平稳，中部地区 2010—2011 年出现大幅上升后保持平稳发展，由此可见，四大地区的宏观环境发展水平不一。

根据表 8－2，本书对四大地区 2010—2019 年的物流环境综合得分进行整理，绘制出物流业绿色创新能力的物流环境图，结果如图 8－9 所示。

由图 8－9 可知，东部和西部物流环境发展趋势与宏观发展趋势相同，保持了较高水平，其次是中部地区，最后是东北地区。中部地区的物流环境在 2012—2013 年出现下滑，2013—2015 年出现上升，2015—2019 年保持平稳增长。2015—2019 年，西部地区的物流环境超过东部地区的物流环境。

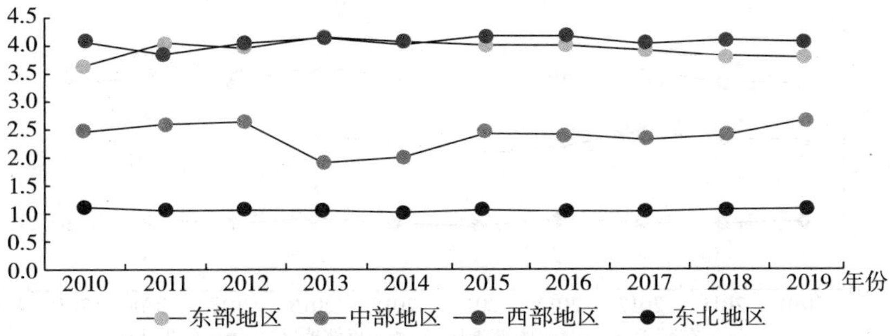

图 8－9　2010—2019 年全国四大地区物流业绿色创新能力物流环境得分分析

根据表 8－2，本书对四大地区 2010—2019 年人力投入综合得分进行整理，绘制出物流业绿色创新能力的人力投入图，结果如图 8－10 所示。

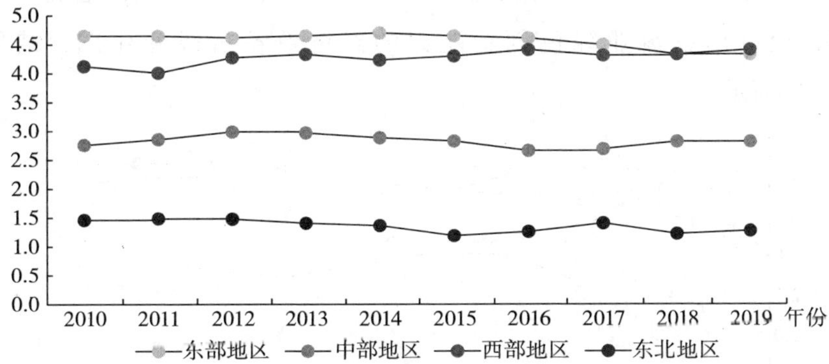

图 8－10　2010—2019 年全国四大地区物流业绿色创新能力人力投入得分分析

由图 8－10 可知，东部地区的物流业从业人员、R&D 研究人员等人力投入水平在四大地区中排名第 1；其次是西部地区，人力投入排名第 2，2018—2019 年赶上了东部地区的水平；再次是中部地区；最后是东北地区。

根据表 8－2，本书对四大地区 2010—2019 年财力投入综合得分进行整理，绘制出物流业绿色创新能力的财力投入图，结果如图 8－11 所示。

由图 8－11 可知，东部地区的财力投入水平在四大地区中排名第 1，其次是西部地区，再次是中部地区，最后是东北地区。东部地区 2015—2019 年财力投入小于 2010—2014 年，西部地区 2017—2019 年财力投入小于 2010—2016 年，中部地区 2014—2018 年财力投入呈增加趋势，东北地

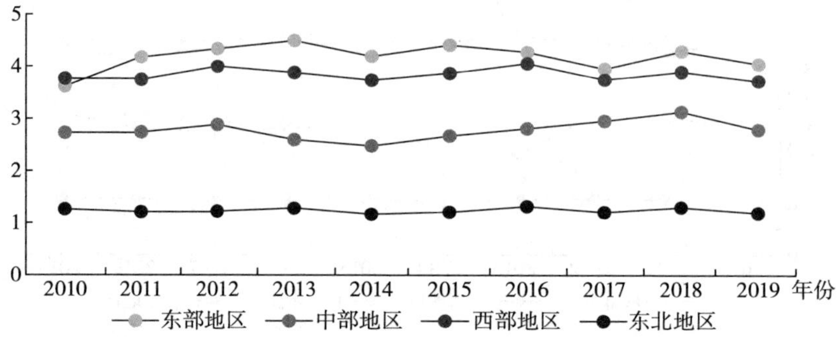

图 8－11　2010—2019 年全国四大地区物流业绿色创新能力财力投入得分分析

区的财力投入保持平缓趋势。

根据表 8－2，本书对四大地区 2010—2019 年经济效益综合得分进行整理，绘制出物流业绿色创新能力的经济效益折线变化图，结果如图 8－12所示。

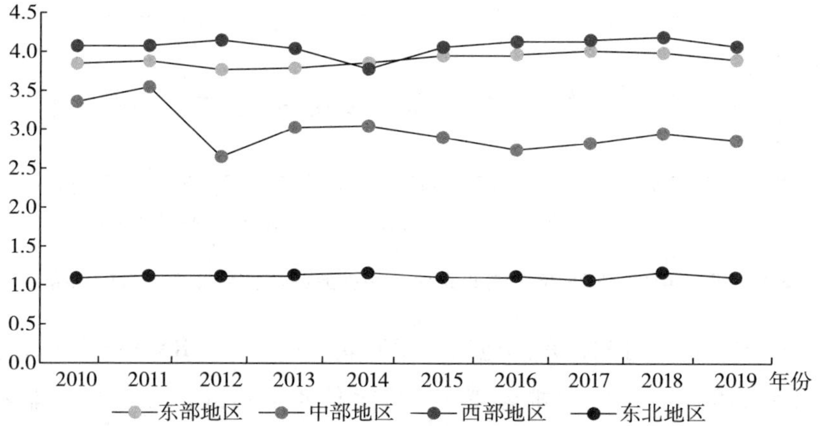

图 8－12　2010—2019 年全国四大地区物流业绿色创新能力经济效益得分分析

由图 8－12 可知，西部地区的经济效益排名第 1，东部地区排名第 2，然后是中部地区，最后是东北地区。2014 年，西部地区的经济效益小于东部地区，东部、西部和东北地区的经济效益呈上升趋势，中部地区经济效益呈下降趋势。

根据表 8－2，本书对四大地区 2010—2019 年环境效益综合得分进行整理，绘制出物流业绿色创新能力的环境效益图，结果如图 8－13 所示。

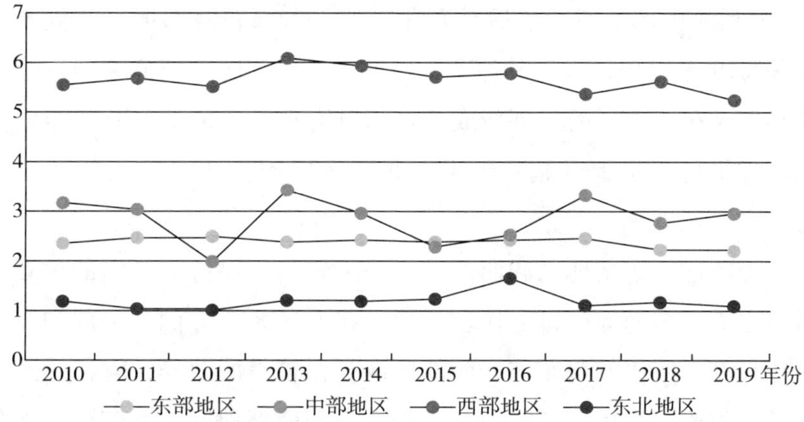

图 8－13　2010—2019 年全国四大地区物流业绿色创新能力环境效益得分分析

由图 8－13 可知，西部地区的环境效益得分排名第 1，中部地区排名第 2，然后是东部地区，最后是东北地区。西部地区的环境效益得分在 2010—2019 年远大于其他 3 个地区，中部地区环境效益得分处于不断波动中，东部地区的环境效益发展较为平稳，东北地区 2015—2017 年的环境效益得分呈先上升后下降趋势，其余时间处于平稳发展状态。

根据表 8－2，本书对四大地区 2010—2019 年创新成果综合得分进行整理，绘制出物流业绿色创新能力的创新成果图，结果如图 8－14 所示。

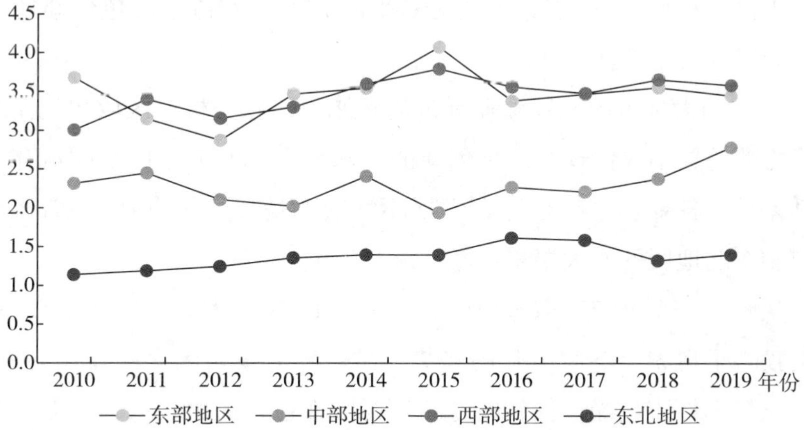

图 8－14　2010—2019 年全国四大地区物流业绿色创新能力创新成果得分分析

由图 8－14 可知，东部地区的创新成果得分排名第 1，西部地区排名第2，然后是中部地区，最后是东北地区。东部和西部地区的创新成果在2010—2019年得分远大于其他两个地区，中部地区创新成果的得分处于不断波动中，东北地区的经创新成果发展较为平稳。2010—2019年四大地区的创新成果得分呈上升趋势，说明我国区域物流业绿色创新的发展越来越好。

综上所述，东部地区和西部地区得分较高，保持前2名的位置。在环境效益方面，东部地区排名比较靠后。在上述8个方面，中部和东北地区得分比较低，所以其与东部和西部地区存在较大的差异，直接导致中部和东北地区物流业绿色创新能力落后于东部和西部地区。西部地区在各要素层面处于领先地位，按一般规律来讲，高水平物流首先兴起于经济发达地区，政策扶持、资源富集以及两大经济带的地缘优势奠定了其物流业良好的发展基础。东部地区由于自身经济发展的基础优势和地理优势形成了物流产业集群，且港口众多，其货物吞吐量和快递业务收入是其他地区的6倍之多，因此更加需要物流产业处理排放的“三废”等，所以东部地区环境效益排名靠后；由于东部地区发达的经济成功吸引和培育了大量高层次人才，所以物流业创新成果较多。中部六省份在各要素上始终处于中下游水平，在环境效益上排名第2。比较靠后的是东北地区，各要素的得分始终处于倒数水平，8个要素的得分过低导致其在物流业绿色创新能力方面的压力远远大于其他地区。

（3）四大地区内部物流业绿色创新能力差异分析。区域物流业绿色创新能力的差异不仅体现在绿色创新能力水平上，四大地区之间也存在要素驱动差异，各要素之间也存在发展不均衡的情况。本书现对东部、中部、西部和东北地区的八大要素贡献度进行分析。

从图8-15可知，东部地区2010—2019年八大要素的贡献度占比中，人力投入呈现先上升后下降的趋势。虽然人力投入因素的作用有所下降，但影响东部物流业绿色创新能力的主要因素还是人力投入，即东部地区相对较高的人力投入对物流业绿色创新能力的贡献度最大。同时，基础设施、宏观环境和环境效益呈下降趋势，而经济效益和创新成果呈上升趋势。在经济效益方面，北京、广东、上海的快递业务收入保持了较高水

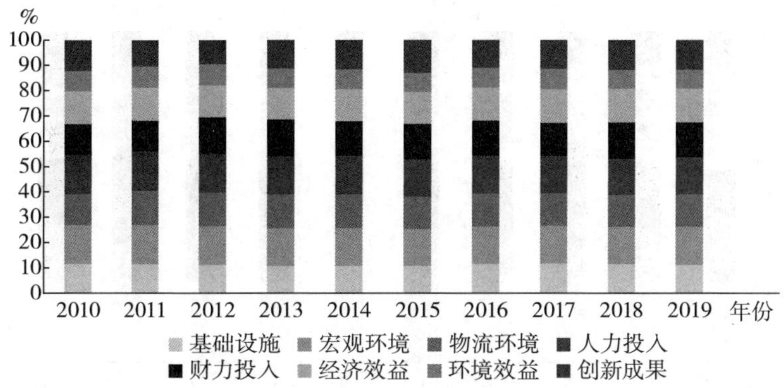

图 8－15　2010—2019 年我国东部地区物流业绿色创新能力八大要素贡献度占比

平；上海、广东、江苏的物流业营业收入保持了较高水平；广东、浙江和江苏的货物进出口值保持了较高水平；广东、山东和江苏在物流业增加值上保持了较高水平。在创新成果方面，广东在泛珠江三角洲地区一直保持着雄厚的基础、较快的发展速度，整体创新水平很高。随着发展速度的加快，江苏和浙江创新成果超过了上海，成为长三角地区表现突出的省份；北京物流业创新成果一直处于前三名，成为京津冀地区物流业表现突出的省份。其原因是，北京是我国政治中心，上海是我国经济中心，其物流技术对周边省份有辐射带动作用，所以在其辐射范围内的省份的物流业快速增长。而且，江苏和浙江占据优越的地理位置，水系十分发达，公路运输和水路运输规模较大，物流业快速发展。浙江是以“上海为龙头、江浙为两翼”中长三角经济区的重要一翼，是长三角经济区重要的增长极。进入 21 世纪的 10 多年，浙江省发挥了体制机制优势、民营经济优势、信息经济优势，有力地支撑了长三角“世界第五大城市群”的崛起。两地产业规模的集聚和形成，催生了极大的区域物流需求，同时政府和企业都注重创新资源投入。北京作为首都，其物流业营业收入和货物进出口值低于江浙沪地区，原因是北京有其特殊的政治、经济、文化属性，对环保要求很高，这在一定程度上限制了物流业业务量。

从图 8－16 可知，经济效益在物流业绿色创新能力贡献度占比中排名第 1，说明中部地区 10 年来物流业的经济效益良好；同时，基础设施、宏

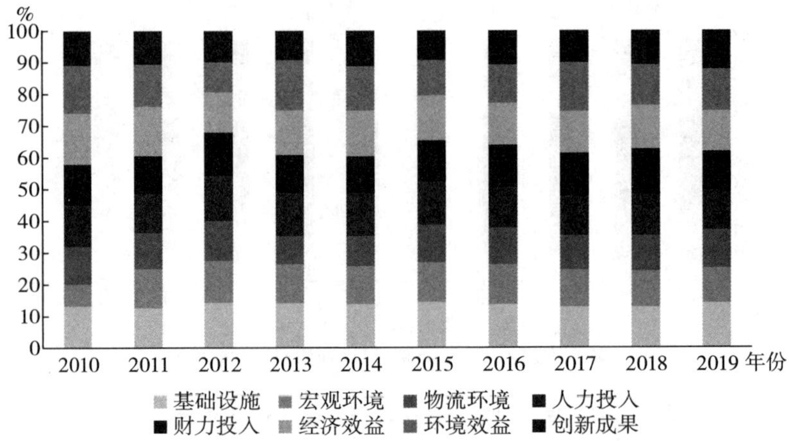

图 8－16　2010—2019 年我国中部地区物流业绿色创新能力八大要素贡献度占比

观环境和人力投入占比较大，说明中部地区物流业有较好的发展环境，基础设施比较完善。从事物流业的人员较多，但在创新成果和环境效益上占比较少。中部各省份产业大多数以农业、畜牧业、机械制造、食品加工为主，山西和周边地区常年进行煤炭开采，煤矿资源丰富，但劳动力水平一般，造成工人多，但创新人才不多，且物流绿色化和环境效益低，导致中部六省份排名普遍不高，其中河南在六省份中排名最高，排在全国第 10 名左右，剩下的省份排在第 16 名左右，山西和江西排到第 18 名左右，这说明中部六省份在提高物流业绿色创新能力方面的任务比较重，各省份应因地制宜，结合自身情况采取相应举措。

由图 8－17 可知，环境效益在八大要素中贡献度较高，其次是宏观环境。西部地区的物流产业主要分布在重庆、四川和陕西，其中重庆在工业结构转型上比较成功，形成新材料、高新技术等产业，以及芯片、软件等新兴产业集群；四川的服装业较发达；陕西在高新技术、有色金属、医药化工业方面的实力比较强。整体来看，成渝产业结构较为完善，物流需求大，四川在排名上比较高，重庆排第 20 名。西藏、青海、内蒙古等省份物流基础设施较薄弱，地广人稀，产业较单一；这些省份排名比较靠后，物流业绿色创新能力未达到全国平均水平，所以缩小西部地区内部各省份的差距十分重要。

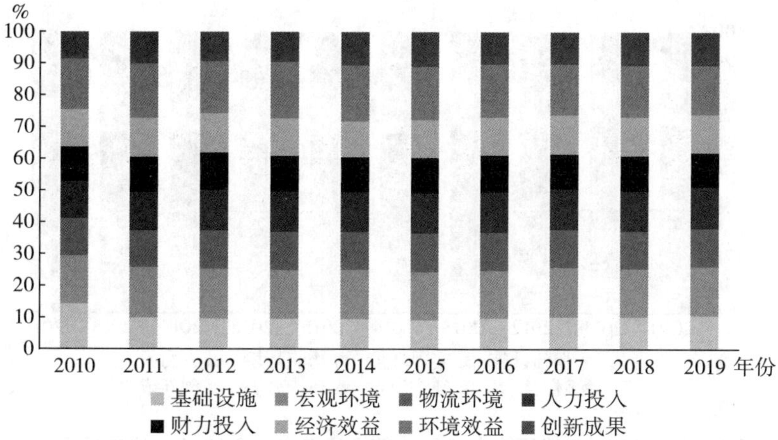

图 8－17　2010—2019 年我国西部地区物流业绿色创新能力八大要素贡献度占比

从图 8－18 可知，基础设施在八大要素中贡献度较高，其次是人力投入和经济效益。东北地区是我国的老工业基地，主要有开采业、钢铁工业和机械制造业，农产品也是重要产业。东北地区的地理位置优越、对外贸易发展快，物流设施基础良好。截止到 2019 年底，东北地区高铁总里程为 3137.6 公里，其中辽宁为 1740.4 公里，居全国第 3 名；沿海主要港口码头泊位有 359 个，其中万吨级以上泊位有 174 个；投入民用机场 25 个，国际保税区有大连大窑湾保税港、绥芬河综合保税区、沈阳近海保税物流中心等。从物流企业数量来看，辽宁的物流企业数量较多，在全国排名靠前；黑龙江和吉林的物流企业数量在全国排名靠后。从整体来看，东北地区的产业模式落后是导致环境效益偏低的原因。在东北地区内部，物流环境、人力投入、财力投入份额较少，导致东北地区物流业绿色创新能力排名相对靠后。所以，东北地区应充分利用沿海的地理优势和国家保税物流政策，合理规划产业布局，提升物流专业化水平。

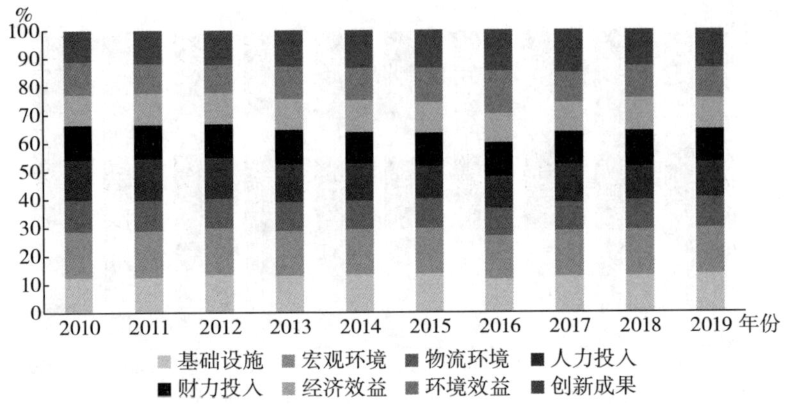

图 8－18　2010—2019 年我国东北地区物流业绿色创新能力八大构成要素贡献度占比

8.3.2　区域物流业绿色创新能力空间分异分析

8.3.1 小节从时间维度测度了全国和四大地区区域物流业绿色创新能力的分布特征，本小节以全国 31 个省份为研究对象，利用 8.3.1 小节区域物流业绿色创新能力综合得分，通过 Arcgis 和 Geoda 软件等，从空间层面分析我国区域物流业绿色创新能力的差异性。

1. 基于 GIS 的区域物流业绿色创新能力的分布特征

本书运用 Arcgis 软件对综合评价结果进行绘图处理，得出我国 31 个省份区域物流业绿色创新能力评价空间分布图，下面分别选取具有代表性的 2010 年、2013 年、2016 年和 2019 年 4 年的相关数据进行剖析。

2010 年，物流业绿色创新能力极强的省份有：浙江、山东、江苏、广东；物流业绿色创新能力强的省份有：北京、上海；物流业绿色创新能力较强的省份有：安徽、河南；物流业绿色创新能力中等的省份有：天津、福建；物流业绿色创新能力较弱的省份有：河北、山西、辽宁、江西、湖北、湖南、广西、重庆、四川、陕西、内蒙古、黑龙江；物流业绿色创新能力弱的省份有：吉林、新疆、甘肃、宁夏、贵州、青海、西藏、云南、海南。

由表 8－3 可知，2013 年，物流业绿色创新能力极强的省份有：山东、江苏、浙江、广东；物流业绿色创新能力强的省份有：北京、上海；物流业绿色创新能力较强的省份有：四川、湖南、湖北、河南、辽宁、安徽、河北；物流业绿色创新能力中等的省份有：天津、福建、内蒙古；物流业绿色创新能力较弱的省份有：黑龙江、吉林、广西、新疆、云南、贵州、甘肃、江西、重庆、山西、陕西；物流业绿色创新能力弱的省份有：西藏、青海、海南、宁夏。

由表 8-3 可知，2016 年，物流业绿色创新能力极强的省份有：山东、江苏、浙江、广东；物流业绿色创新能力强的省份有：北京、上海；物流业绿色创新能力较强的省份有：河北、安徽、河南、湖北、湖南、四川；物流业绿色创新能力中等的省份有：天津、内蒙古、辽宁、福建；物流业绿色创新能力较弱的省份有：山西、陕西、重庆、江西、甘肃、广西、吉林、新疆、云南、贵州、黑龙江；物流业绿色创新能力弱的省份有：西藏、青海、海南、宁夏。

由表 8-3 可知，2019 年，物流业绿色创新能力极强的省份有：江苏、浙江、山东、广东；物流业绿色创新能力强的省份有：北京、上海；物流业绿色创新能力较强的省份有：四川、湖南、安徽、河南、河北；物流业绿色创新能力中等的省份有：天津、湖北、内蒙古；物流业绿色创新能力较弱的省份有：辽宁、山西、陕西、重庆、江西、云南、广西、黑龙江、吉林、新疆、贵州、甘肃、福建；物流业绿色创新能力弱的省份有：西藏、青海、海南、宁夏。

综上所述，2010 年物流业绿色创新能力领先的省份聚集在北京、山东、江苏、上海、浙江和广东这些东部沿海地区，2013 年和 2016 年，以上 5 个省份同时保持极强的水平；2018 年，极强的省份数量减少，江苏、浙江和广东保持极强的水平，山东物流业绿色创新能力有所下降。2010 年和 2013 年，强类主要涵盖中部地区和极个别西部地区的省份；2010 年，较强类的省份较少，中部地区只有河南和安徽两地处于较弱和极弱水平的省份基本维持在较低的水平，个别省份有所提高或降低，包含西部地区的新疆、西藏、青海、甘肃、宁夏和东北地区的吉林和黑龙江。

经过上述分析，可知我国区域物流业绿色创新能力的空间分布特征：能力极强的省份大多数集中在东部沿海地区，强和较强的省份大多数集中在中部地区，并且有向西部和东北地区发展的趋势。随着时间的变化，从整体来看，在四大地区中，各省份出现从集聚到扩散的变化；从局部来看，各个地区的所属省份出现相互依赖的现象。由此可知，采用空间计量的方法可以对区域物流业绿色创新能力的结果进行空间测度。

2. 全局自相关分析结果

通过上述分析可知，我国区域物流业绿色创新能力的空间分布有较为明显的空间差异。为进一步分析其空间自相关性，本节利用 Arcgis 软件，借助于 2010—2019 年我国 31 个省份的物流业绿色创新能力综合指数得分，计算出区域物流业绿色创新能力 Moran's I 统计值，结果如表 8－4 所示。

表 8－4　2010—2019 年我国省域物流业绿色创新能力 Moran's I 统计值

年份	Moran's I	年份	Moran's I
2010	0. 4577	2015	0. 5090
2011	0. 5046	2016	0. 4703
2012	0. 4834	2017	0. 4330
2013	0. 4761	2018	0. 4251
2014	0. 4702	2019	0. 3794

由表 8－4 可知，我国区域物流业绿色创新能力综合指数得分的 Moran's I 数值都为正数，最小值为 0. 3794，说明我国区域物流业绿色创新能力的空间关系存在很强的空间正相关性。根据表 8－2 数据，本书绘制我国 2010—2019 年的 Moran's I 统计量折线图，进一步分析 Moran's I 统计量的变化情况，结果如图 8－19 所示。

由图 8－19 可知，2010—2019 年，我国区域物流业绿色创新能力 Moran's I 指数整体上呈现先波动上升再波动下降的动态特征。2015 年前指数值保持在 0. 4577～0. 5090，2019 年出现最低值，2015 年达到 2010—2019 年的最高值。2011—2014 年、2015—2017 年和 2018—2019 年这 3 个时间段内，指数缓慢下降。研究发现，这 10 年中，我国区域物流业绿色创新能力综合评价得分在空间分布上呈现正相关关系，表明区域间有相互依赖性。随着时空变化和产业结构的不断升级，空间的依赖程度和正相关性逐渐降低。观察图 8－19 可以发现，2010—2019 年，Moran's I 指数值均大

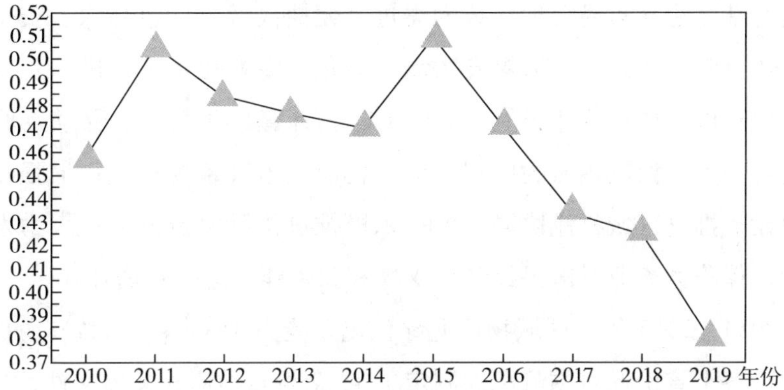

图8-19　2010—2019年我国区域物流业绿色创新能力 Moran's I 统计量发展趋势

于0，说明在空间层面，我国区域物流业绿色创新能力分布特征是规律的，即区域物流业绿色创新能力发展水平较高的省份物流业具有空间集聚效应，同样地，发展水平较低的省份物流业趋于空间集聚。

2010—2011年，Moran's I 指数值上升，这一时间段区域物流业绿色创新能力发展比较平稳。为应对国际金融危机，我国政府于2009年颁布了《物流业调整和振兴规划》，重点推进物流服务的社会化和专业化，物流企业兼并重组，国际物流和保税物流等得到大力发展。2011年，国家发布的《关于促进物流业健康发展政策措施的意见》提出，减轻物流企业的税收、推进物流技术创新和应用，在物流业扩大规模和提高服务质量的同时也体现了物流技术创新的重要性。

2011—2014年，Moran's I 指数值逐年下降，其中2013—2014年出现轻微下降趋势。全国31个省份，经济基础有较大的差异，地区经济的发展本身存在一定的差距。在物流业稳步发展时，地理位置优越、经济基础良好的区域在绿色创新、结构转型升级上具有优势，此时转型能力较弱的地区和较强的地区差距开始变大，在这一时期物流业的绿色创新能力存在较明显的区域差异。2013年，我国社会物流总费用占GDP的比重有所下降，进一步说明社会物流需求的减少。为促进整体协同发展、缩小区域差异，2014年，《物流业发展中长期规划（2014—2020年）》出台，主要原则有创新驱动、协同发展，节能减排、绿色环保等。该规划指出，到2020年，物流业基本建立布局合理、技术先进、便捷高效、绿色环保、安全有序的现代物流服务体系，大力提升物流社会化、专业化水平；进一步加强物流信息化建设，加强北斗导航、物联网、云计算、大数据、移动互联网等先进信息技术在物流领域的应用；推进物流技术装备现代化；加强物流标准化建设；推进区域物流协调发展；积极推进国际物流发展；大力发展绿色物流，保障物流业对国民经济的支撑和保障能力进一步增强。

2014—2015 年，区域物流业绿色创新能力 Moran's I 指数有所提升，这是因为各个省份针对物流规划制定了 40 余份与物流相关的文件，积极推动地方物流业发展。这一时期物流业需求提高，区域差距缩小。2015—2017 年，区域物流业绿色创新能力的莫兰指数呈下降趋势，说明各省份仍然存在较明显的空间差异。2017 年全球经济难以摆脱低迷增长，虽然相关政策的出台对物流业发展有促进作用，但物流业与宏观景气指数相关性强，所以物流业发展出现下降趋势；加之西部地区人才吸引能力弱，因此物流空间差异明显加大。2017—2019 年，莫兰指数出现下降趋势，此时是物流业和信息化科学技术融合的时期，物流技术和需求相较于 10 年前大幅度提升，同时进行了新一轮物流业整合活动，物流界的龙头企业如圆通、京东物流等开始进行各类物流枢纽建设，搭建大数据平台，采用“物流天眼”、无人化智能仓储和无人机等技术，实现了降本增效，提高了环保效益。此时属于韬光养晦、苦练内功时期，偏远地区和城市应用上面还有更长的路要走，所以 Moran's I 指数在物流业整体绿色创新能力上呈现降低趋势。在技术改革时代，物流业利用智能技术突破传统技术实现转型升级任重道远。

3. 局部自相关分析结果

（1）上文从全局层面分析了区域物流业绿色创新能力的空间自相关性，并进一步探索了空间特征值；从局部层面，本书利用 Geoda 软件，得到我国区域物流业绿色创新能力分布的 Moran 散点图，通过对局部空间的描述和研究，可以对我国物流业绿色创新能力的空间分布做进一步的补充，下面选取 2010 年、2013 年、2016 年和 2019 年四个具有代表性的年份做进一步分析（见图 8 –20）。

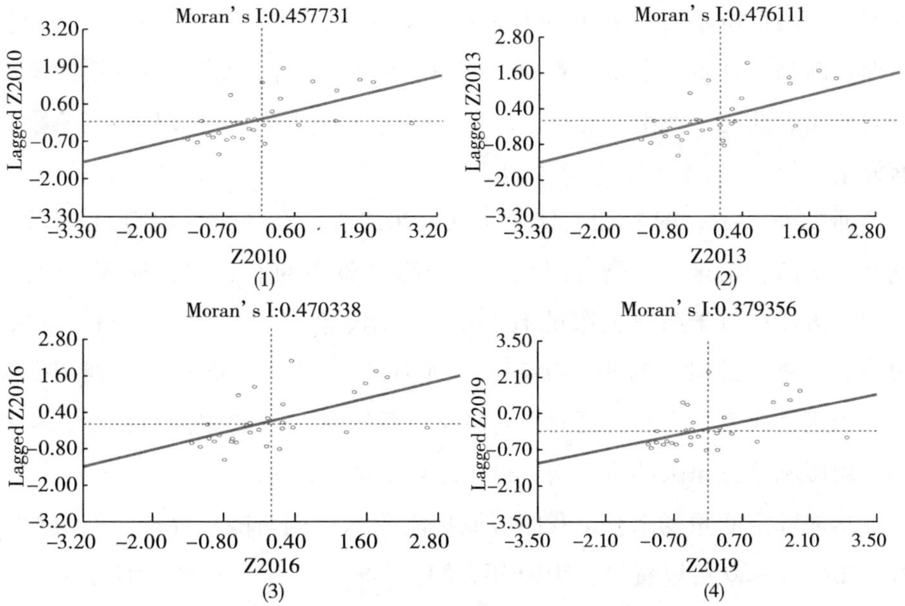

图 8 –20　2010 年、2013 年、2016 年和 2019 年区域物流业绿色创新能力 Moran 散点图

通过表 8 –3、图 8 –20（1）可知，2010 年，位于第一象限的有上海、江苏、浙江、辽宁、福建、河北、山东；位于第二象限的有安徽、广西、山西；位于第三象限的有江西、湖南、吉林、黑龙江、内蒙古、西藏、新疆、青海、宁夏、贵州、云南、重庆、陕西、甘肃；位于第四象限的有湖北、四川、河南、广东。同时，跨越第一象限和第二象限的有天津；跨越第二象限和第三象限的有海南；跨越第四象限和第一象限的有北京。

通过表 8 –3、图 8 –20（2）可知，2013 年，位于第一象限的有江苏、上海、浙江、山东、福建、辽宁、河北；位于第二象限的有天津、江西、广西；位于第三象限的有吉林、西藏、贵州、云南、重庆、青海、宁夏、新疆、陕西、湖南、黑龙江、甘肃；位于第四象限的有内蒙古、四川、河南、安徽、广东、北京。同时，跨越第二象限和第三象限的有山西、海南；跨越第三象限和第四象限的有湖北。

通过表 8 –3、图 8 –20（3）可知，2016 年，位于第一象限的有江苏、上海、浙江、山东、安徽、福建、河北；位于第二象限的有天津、辽宁、江西、广西；位于第三象限的有山西、重庆、湖南、吉林、西藏、云南、陕西、新疆、甘肃、宁夏、青海、四川、黑龙江、内蒙古；位于第四象限的有四川、湖北、河南、北京、广东。同时，跨越第二象限和第三象限的有海南。

通过表 8－3、图 8－20（4）可知，2019 年，位于第一象限的有江苏、浙江、上海、山东、安徽、河北；位于第二象限的有辽宁、江西、山西、广西、天津；位于第三象限的有湖南、云南、西藏、吉林、贵州、重庆、青海、宁夏、甘肃、新疆、陕西、黑龙江；位于第四象限的有四川、湖北、河南、北京、广东。同时，跨越第一象限和第二象限的有福建；跨越第二象限和第三象限的有海南；位于原点上的有内蒙古。

从局部空间角度来看，我国区域物流业绿色创新能力存在空间自相关性。由图 8－20 可以看出，2010 年，54.84%（17 个）的省份位于第二象限和第三象限，35.48%（11 个）的省份位于第三象限；2013 年，48.39%（15 个）的省份位于第二象限和第三象限，41.94%（12 个）的省份位于第三象限；2016 年，61.29%（19 个）的省份位于第二象限和第三象限，38.71%（12 个）的省份位于第三象限；2019 年，58.06%（18 个）的省份位于第二象限和第三象限，35.48%（11 个）的省份位于第三象限。与 2010 年相比，处于 L－H 和 L－L 区域的省份数量增加了 5.88%，存在较小的上升幅度，说明区域物流业绿色创新能力的空间差异性没有随着区域物流业绿色创新能力提升而降低。2019 年，落入 L－L 区域的省份数量相较于 4 年最高的省份减少了 8.33%，说明我国出台的相关物流治理和发展政策对省域的物流业绿色创新能力提升具有一定的效果，减少了低集聚的现象，提升了区域物流业绿色创新能力。H－L 区域的省份数量由 2010 年的 4 个上升到 5 个，增加省份数量占全国省份数量的比重为 3.23%；L－H 区域的省份数量由 2010 年的 3 个上升到 5 个，增加省份数量占全国省份数量的比值为 6.45%。第二象限和第四象限的省份和相邻省份存在空间负相关性，增加的省份数量说明，区域物流业发展过程中区域差异仍起到阻碍作用。H－L 和 L－H 区域的省份分布较为零散，4 个地区在不同年份均有出现。

根据图 8－20 可知，落入 H－H 区域的省份占东部地区的 50%。2010—2019 年，热点区域发展格局没有明显变化，东部地区的上海、江苏、浙江、福建和河北常年占据 H－H 区域，其中东北地区的辽宁在 2010 年、2013 年出现在 H－H 区域，这与其自身地理条件和山东的较强空间辐射效应有密切关系，所以其物流业绿色创新能力在东北地区属于相对较高水平。落入 L－L 区域的省份大多属于西部和东北地区，同时还有少量的中部省份，这是因为西部和东北地区基础设施水平较为落后、人才吸引力不强和政策落实问题等导致其和沿海地区省份存在较大的空间差异。受相邻区域的物流业高水平发展的极化作用影响，江西、山西、广西、天津等落入 L－H 区域的省份在物流业发展上存在不利因素，落入 H－L 区域的省份如四川、河南、安徽、广东、北京等地对周边省份的发展存在辐射带动作用。

综上可知，L－H 和 L－L 区域的省份数量多于 H－H 和 H－L 区域的数量，同时 L－L 区域的省份数量多于 L－H 区域省份的数量。象限里落点数量说明，区域物流业绿色创新能力呈现出明显的两极分化，关系结构呈水平高低不同的二元集聚。但是，这种结构并没有随着物流业绿色创新能力的提高有所改善。

总体来看，北部沿海地区形成以北京、河北、山东为核心，东部沿海地区形成以上海、江苏、浙江为核心的区域物流业绿色创新能力较高的空间集群；西南地区形成以贵州、云南、广西、四川为核心，东北地区形成以辽宁、吉林、黑龙江为核心的区域物流业绿色创新能力较低的空间集群。两者存在明显二元结构，沿海地区和中部地区物流业差异较小，空间联系密切，人才吸引力强；东北地区和西部地区物流业发展面临很多问题。

（2）通过图 8－20 散点图可以发现，区域物流业绿色创新能力在空间上存在一定的依赖性和差异性。为了进一步研究局部空间集聚特征，本书利用 Geoda 软件绘制我国 31 个省份的综合指数值 LISA 集聚图，探究省域单元属性的相关程度和空间格局变动情况，为区域物流业绿色创新能力空间特征做进一步说明。本书将 2010—2019 年区域物流业绿色创新能力处于

H－H、L－H、L－L 和 H－L 位置的省份归纳如表 8－5 所示。

表 8－5　2010—2019 年 31 个省份物流业绿色创新能力的空间集聚格局演变

象限	2010 年	2011 年	2012 年	2013 年	2014 年
H－H	江苏、浙江、福建、上海	江苏、浙江、福建、山东、上海	江苏、浙江、福建、上海、	江苏、浙江福建、上海、	江苏、浙江福建、上海
L－H	—	—	—	—	—
L－L	新疆、西藏、青海、甘肃、内蒙古	新疆、西藏、青海	新疆、青海	新疆、西藏、青海	新疆、青海
H－L	四川	四川、内蒙古	四川、内蒙古	四川、内蒙古	四川、内蒙古
象限	2015 年	2016 年	2017 年	2018 年	2019 年
H－H	江苏、浙江、福建、上海	江苏、浙江、福建、上海	江苏、浙江、福建、上海	江苏、浙江、福建、山东、上海	江苏、浙江、上海
L－H	—	—	—	—	福建
L－L	新疆、青海、甘肃、内蒙古	新疆、青海、甘肃、内蒙古	新疆、青海、内蒙古	新疆、青海、内蒙古	新疆、青海、内蒙古
H－L	四川	四川	四川	四川	四川

表 8－5 中，31 个省份物流业绿色创新能力的空间集聚格局变化显示，2010—2019 年，处于 H－H 区域的省份为东部地区的江苏、浙江、福建、山东、上海，处于 H－L 区域的省份主要为西部地区的内蒙古和四川，处于 L－L 区域的省份主要为西部地区的新疆、西藏、青海、甘肃。在上述 4 种情况中，落入 H－H 区域和 L－L 区域的省份数量较多，而落入 H－L 区域的省份数量较少，在 L－H 区域只有福建 2019 年落入，说明西北、西南地区的省份是物流业绿色创新能力较弱的地区，同时是我国物流业发展扶持的重点区域，也是提高整体物流业绿色创新能力的薄弱地区。

从各省份的具体发展变化来看，在 H－H 区域的省份主要是江苏、浙江、福建、山东、上海，这些省份都处在东部沿海地区，地理位置优越、经济发展水平高、物流设施设备比较完善，为物流业的发展提供了良好条件。这些省份的辐射带动能力较强，周边沿海和中部地区各省份物流业呈快速发展趋势。落入 L－L 区域的省份主要是新疆、青海、甘肃、内蒙古，这些省份均在西部地区，其面积宽广，人均面积较大，交通设施设备较不完善，吸引人才的能力较弱，和东部地区相比存在明显极化效应，阻碍了物流业的发展。国家虽然针对这类问题提出了政策建议，但政策的落实程度和效率存在时间差等，所以这些省份物流业绿色创新能力的提高任重道远。

第 9 章　区域物流业绿色创新能力影响因素研究

第 8 章从时间维度和空间维度对区域物流业绿色创新能力进行了评价，同时对四大地区物流业绿色创新能力进行了分析。结果发现，区域物流业绿色创新能力存在较强的空间依赖性和极化现象，出现了区域间物流业绿色创新能力发展不平衡的现象。为了进一步探究影响约束条件下的区域物流业绿色创新能力的因素有哪些，这些因素是如何影响区域物流业绿色创新能力提高的，如何通过调整影响因素来提高区域物流业绿色创新能力，本章对影响因素的面板数据进行整理和实证分析。

9.1　空间计量模型

由本书第 8 章 Moran's I 指数结果可知，全国区域物流业绿色创新能力水平的分布存在一定的空间依赖性，各单元的相互影响并不是独立存在的，所以传统的回归分析方法并不适用于此类问题，需要使用空间回归模型。根据空间依赖性表现形式的不同，常用的空间计量模型有空间滞后模型（SLM）、空间杜宾模型（SDM）和空间误差模型（SEM）。在选择计量模型前，本书需要预先设定一个基准线性模型，其中普通二乘法回归模型是常用的基准模型，其公式为

$$Y = \alpha + \beta_1 X_1 + \beta_2 X_2 + \cdots + \beta_n X_n + \varepsilon \tag{9.1}$$

其中，α 为常数项，β_1、β_2、⋯、β_n 表示回归系数，ε 为随机误差项。

空间滞后模型（SLM）主要适用于被解释变量直接存在较强的空间依赖性的情况，进而被解释变量会通过空间传导机制影响本地的被解释变量，其公式为

$$y = \lambda Wy + X\beta + \varepsilon \tag{9.2}$$

其中，X 为 $n \times k$ 解释变量矩阵，y 为被解释变量矩阵，W 为空间权重矩阵，λ 为空间自回归系数，β 为待估参数矩阵，ε 为随机扰动项矩阵。本书选取的空间权重矩阵如下：

$$W_{ij} = \begin{bmatrix} w_{11} & \cdots & w_{1n} \\ \vdots & \ddots & \vdots \\ w_{n1} & \cdots & w_{nn} \end{bmatrix} \tag{9.3}$$

其中，当 $i = j$ 时，记 $W_{ij} = 0$。

将空间权重矩阵行标准化，标准化后的矩阵元素为

$$W_{ij} = w_{ij} / \sum_{j=1}^{n} w_{ij} \tag{9.4}$$

空间杜宾模型（SDM）主要适用于本地被解释变量不仅受本地解释变量影响，还受到邻地被解释变量的影响的情况，其公式为

$$y = X\beta + WX\delta + \varepsilon \tag{9.5}$$

其中，y 为被解释变量矩阵，X 为 $n \times k$ 解释变量矩阵，W 为空间权重矩阵，δ 为空间项系数，β 为待估参数矩阵，ε 为随机扰动项矩阵。

空间误差模型（SEM）主要适用于地区的互相作用因所处相对位置的不同而存在差异的情况，其公式为

$$y = X\beta + \mu \tag{9.6}$$

$$\mu = \rho W\mu + \varepsilon \tag{9.7}$$

其中，y 为被解释变量矩阵，X 为 $n \times k$ 解释变量矩阵，W 为空间权重矩阵，μ 为误差项矩阵，ρ 为空间项系数，β 为待估参数矩阵，ε 为随机扰动项矩阵。

空间计量模型的判别和选择需要首先判定选择固定效应模型或随机效应模型。固定效应模型可表示为

$$y_{it} = \beta_1 + \lambda_i + \gamma_t + \sum_{k=2}^{k} \beta_k x_{kit} + \mu_{it} \tag{9.8}$$

其中，λ_i 表示第 i 个纵剖面上的截距，γ_t 表示第 t 个横截面上的截距。

固定效应模型不可观测随机因素对被解释变量的影响。随机效应模型可解释随机因素的影响，可表示为

$$y_{it} = \beta_1 + \lambda_i + \gamma_t + \sum_{k=2}^{k} \beta_k x_{kit} + \mu_{it} + v_i + w_{it} \tag{9.9}$$

其中，$\mu_i N(0, \sigma_\mu^2)$ 不存在截面自相关，$v_i N(0, \sigma_v^2)$ 不存在时间自相关，$w_{it} N(0, \sigma_w^2)$ 不存在混合自相关，且三者互不相关。

9.2 数据和指标选择

通过第8章的分析结果可知，区域间的差异是导致物流业绿色创新能力发展不均衡的主要原因，为研究导致这种现象的原因，本章选取31个省份作为区域物流业绿色创新能力发展不均衡影响因素的区域单元。

现有对物流业绿色创新能力影响因素的选择主要从物流业的内部环境和外部环境两个方面进行考虑。外部影响因素中，对经济发展水平的考虑较多；对于内部影响因素中，考虑环境、能源和技术水平等因素。为了更加合理地选择影响因素，本书对部分学者的研究成果整理如表9－1所示。

表9－1　区域物流业绿色创新能力的影响因素选择

作者	行业	绿色创新能力影响因素
马飞、胡江艳	物流业	经济水平、基础设施、科技水平、市场开发水平
刘莉、刘利民	物流业	货物吞吐量、生产总值、人口规模、外商投资
刘莉、孟庆浩	物流业	经济发展、产业结构、物流资源利用、区位优势、市场化程度
李春林、伍信怡	物流业	基础设施、承载力、市场需求
秦雯	物流业	地区生产总值、政府支持、外商投资科技水平
俞佳立、钱芝网	物流业	经济增速、对外开放、行业因素、信息化水平
曹俊文、周丽	物流业	能源强度、能源结构、从业规模、物流产出

通过对影响因素进行理论研究，本书分别选择不同指标衡量经济基础、政府支持、产业结构、行业聚集、对外开放、环境治理与创新人才，并预设以上所有解释变量对被解释变量具有正向作用。变量的具体说明、符号表示如表9－2所示，影响因素数据描述性统计如表9－3所示。

表 9－2　影响因素指标选取及说明

类别	变量名称	变量来源	变量简称
被解释变量	区域物流业绿色创新能力（*Y*）	绿色创新能力综合指数	*Cgc*
	经济基础（*X*1）	人均地区生产总值	*Eb*
	政府支持（*X*2）	物流业人均物流固定资产投资	*Gs*
	产业结构（*X*3）	物流业增加值占 GDP 比重	*Is*
	行业聚集（*X*4）	物流业聚集度	*La*
解释变量	对外开放（*X*5）	进出口贸易总额占 GDP 比重	*Ow*
	环境治理（*X*6）	环境污染投资治理占 GDP 比重	*Eg*
	创新人才（*X*7）	R&D 人员数量占地区人口比例	*It*

表 9－3　影响因素数据描述性统计

变量/单位	均值	标准差	最小值	最大值
经济基础/万元	4.8883	3.1069	0.5380	24.5116
政府支持/（人/万元）	44.0275	46.3506	5.2964	417.1538
产业结构/%	0.0512	0.0188	0.0112	0.1283
行业聚集/%	1.1034	0.8819	0.0188	5.2043
对外开放/%	0.2866	0.3228	0.0171	1.4639
环境治理/%	1.4601	0.8115	0.0600	4.6600
创新人才/%	0.0044	0.0053	0.0005	0.0339

9.3　空间计量模型的选择

在建立模型前，本书需要对空间模型进行选择，Hausman 检验可以判别是选择固定效应还是选择随机效应，若误差项与解释变量不相关，则选择随机效应模型，反之则选择固定效应模型。本书使用 Matlab 软件在随机效应与固定效应的基础上做 Hausman 检验，检验结果如表 9－4 所示。

表 9－4　Hausman 检验结果

Chi－Sq. statistic	Chi－Sq. d. f.	Prob
27.962257	7	0.0002

由表 9－4 中检验结果可知，$p=0.0002<0.05$，通过显著性水平检验，

即拒绝原假设，所以选择固定效应模型。根据 Anselin 研究空间计量模型流程图，本书计算过程如下：先进行 OLS 模型回归，并对 OLS 回归后的残差进行拉格朗日乘子检验，得出 LM – Error 和 LM – Lag 两个统计量。若两个统计量都不显著，则选择 OLS 模型；若 LM – Error 统计量显著，则选择 SEM 模型；若 LM – Lag 统计量显著，则选择 SLM 模型；若两个统计量都显著，则进行稳健的拉格朗日乘子检验，得到 R – Error 和 R – Lag 两个统计量；若 R – Error显著，则选择 SEM 模型；若 R – Lag 显著，则选择 SLM 模型。具体模型选择方法如表 9 – 5 所示。

表 9 – 5　最优空间模型选择方法

检验	H0	H1	结果	备注
LM – Error	$\rho=0$	$\rho\neq0$	拒绝 H0，使用 SEM	均拒绝 H0，执行稳健性检验
LM – Lag	$\lambda=0$	$\lambda\neq0$	拒绝 H0，使用 SLM	
R – Error	$\rho=0$	$\rho\neq0$	拒绝 H0，使用 SEM	均拒绝 H0，选择更显著检验
R – Lag	$\lambda=0$	$\lambda\neq0$	拒绝 H0，使用 SLM	

由表 9 – 5 可知，本书采用基于固定效应的 OLS 模型进行 LM 检验，并对 OLS、SEM、SLM 3 种模型进行回归，所得结果如表 9 – 6 和表 9 – 7 所示。

表 9 – 6　空间 LM 检验结果

LM – Error	LM – Lag	R – Error	R – Lag
13. 3621***	20. 1006***	2. 3458	9. 0842***
0	0	0. 126	0. 003

注：*** 表示显著性水平为 1%。

表 9 – 7　OLS 模型与空间回归模型估计结果比较

Variable	OLS		
	系数	t 值	*p* 值
*X*1	0. 173468	6. 251752	0. 000000
*X*2	0. 013416	5. 470544	0. 000000
*X*3	– 0. 000874	5. 746970	0. 000000
*X*4	0. 124099	0. 339344	0. 734586
*X*5	– 0. 004379	– 0. 398575	0. 690487
*X*6	0. 187403	6. 280809	0. 000000

续表

Variable	OLS		
	系数	t 值	*p* 值
*X*7	-0.014227	-1.688909	0.092266
Loglike - lihood	259.9463		
R^2	0.521256		
Variable	**SEM**		
	系数	t 值	*p* 值
*X*1	0.009339***	2.734942	0.006613
*X*2	-0.000612***	-3.951097	0.000097
*X*3	0.599219	1.538085	0.125089
*X*4	-0.005238	-0.414538	0.678779
*X*5	0.219162***	6.176522	0.000000
*X*6	-0.008994	-1.022758	0.307252
*X*7	0.020452***	4.155055	0.000043
Loglike - lihood	251.4062		
R^2	0.494200		
Variable	**SLM**		
	系数	t 值	*p* 值
*X*1	0.003318***	5.590833	0.000000
*X*2	0.000153***	3.457282	0.000546
*X*3	0.526923***	6.072609	0.000000
*X*4	0.028757***	6.046888	0.000729
*X*5	0.022642***	3.378480	0.000015
*X*6	0.007398***	4.322729	0.000015
*X*7	0.004464***	7.746800	0.000000
Loglike - lihood	892.2225		
R^2	0.991900		

由表 9-6 中的 LM 检验结果可知，LM-Error、LM-Lag 和 Robust LM-Lag 均通过了 1% 的显著性水平检验。Robust LM-Error = 0.126，结果不显著。综上，在研究区域物流业绿色创新能力的问题上，空间滞后模型（SLM）为最优模型。

由模型与空间回归模型估计结果比较结果可知，OLS 模型的回归分析

拟合优度 R^2 为 0.521256，空间误差模型的拟合优度 R^2 为 0.494200，空间滞后模型的拟合优度 R^2 为 0.991900。在这 3 种模型中，空间滞后模型的拟合优度最大，解释变量可以在 99.19% 的程度上解释被解释变量。OLS 模型的极大似然估计值为 259.9463，空间误差模型的极大似然估计值为 251.4062，空间滞后模型的极大似然估计值为 892.2225，远高于 OLS 模型和空间误差模型，这进一步说明，最优选择应为空间滞后模型。综上，本书把空间滞后模型的结果作为解释影响区域物流业绿色创新能力因素的依据。

9.4 模型回归结果分析

由表 9－7 分析结果可知，本书的空间滞后模型的分析结果如下。

（1）经济基础。经济基础的影响系数为 0.003318，通过 1% 显著性水平检验。这说明地区经济基础的增强可以促进物流业绿色创新能力的提升，同时可以缩小区域间物流业绿色创新能力的发展水平差异。经济基础较好的区域可以加大对当地物流业基础设施、设备的建设和更新力度，这不仅有利于当地物流活动的发展，还可以吸引国内外物流业的投资、进驻，使区域物流业形成良性循环，物流产业更加繁荣。经济基础是区域物流发展的根本条件，是区域物流业发展的活力来源。

（2）政府支持。政府支持的影响系数为 0.000153，通过 1% 显著性水平检验。政府支持对区域物流业绿色创新能力的作用为正，可以提高区域物流业发展质量和速度，同时有效缩小区域间物流业绿色创新能力水平差异，促进区域物流产业之间协调发展。政府的干预为拓宽物流市场、均衡配置资源，提供了良好的环境。在物流业快速发展的同时，政府通过调节，可有效引导物流业的正确发展方向，监督规范其行为，促进其绿色创新能力的可持续发展。

（3）产业结构。产业结构的影响系数为 0.526923，通过 1% 显著性水平检验。调整和完善产业结构是提高区域物流业绿色创新整体能力、缩小区域发展差异的重要因素。物流运输方式、服务水平和发展规模等受产业结构的影响。由于各个产业对物流的需求不同，物流提供的相应服务也不尽相同。目前，物流需求快速增长，但物流总体发展水平还不高，发展方式较为粗犷，需要提升产业规模和发展水平。

（4）行业聚集。行业聚集的影响系数为 0.028757，通过 1% 显著性水平检验。这说明行业集聚发展对提升物流业绿色创新能力起到了促进作用。我国物流业空间发展布局较为集中，能源、工业和进出口行业催生了物流业的集聚现象，促进了物流业的合作与竞争；其在某一区域内的高集聚吸引了大量人才聚集，对全国物流业绿色创新能力的提升具有促进作用。

（5）对外开放。对外开放的影响系数为 0.022642，通过 1% 显著性水平检验。随着我国改革开放的不断深入、国际贸易的流通和生产力的快速提高，物流需求的增加使物流企业的经营效益提高，进而提高了其市场占有率。同时，具有先进管理理念和市场经验的外企来到中国，有利于本土企业建设国际化业务流程系统，这增加了市场竞争和合作。企业之间可以在地理、人才、设备等方面进行优势互补，在发展专业化的同时实现多元化。

（6）环境治理。环境治理的影响系数为 0.007398，通过 1% 显著性水平检验。这说明环境治理强度增强可以提高物流业的绿色创新能力。环境治理对物流企业的环保问题提出了更高的要求。虽然企业的投入资本增加，但政府的绿色技术创新补贴提高了企业的绿色创新研发能力。在环境规制的作用下，企业研发大量的绿色创新技术，从包装、运输等流程推广使用环保材料、新能源，提高了区域物流业的绿色创新能力。

（7）创新人才。创新人才的影响系数为 0.004464，通过 1% 显著性水平检验。这说明创新人才的规模和有效投入可以提高物流业绿色创新能力。人才是发展的核心竞争力，创新人才对提高物流业自主创新能力、建设创新型行业具有积极的推动作用。但针对物流业的创新型人才数量不多、人才流失严重等问题，国家只有进一步培育专业人才、吸引人才、留住人才和发挥人才的作用，才能提高物流业的绿色创新能力，才能在日益激烈的竞争中掌握主动权。

第 10 章　区域物流业绿色创新能力提升对策建议

当前，我国经济已经转向高质量发展阶段，对产业发展提出更高的要求，即不仅要追求经济效益，更要注重环境友好、资源节约，用创新驱动产业高质量发展。物流业是国民经济的动脉，对经济的发展起着重要作用。区域物流业在达到绿色创新标准的同时，要促进区域协调发展。解决物流发展不平衡的问题，推动区域物流业绿色创新能力的共同提升刻不容缓。第 8 章通过对区域物流业绿色创新能力评价分析发现，我国区域物流业可从要素驱动转向创新驱动，进一步促进物流业发展模式转变；第 9 章通过对约束条件下区域物流业绿色创新能力的影响因素分析发现，减少物流业对环境的污染，提高物流业创新能力，对物流业的可持续发展有重要意义。针对以上研究结论，本章提出以下对策建议。

10.1　加强政府宏观调控，完善相应政策法规

通过第 9 章对影响因素的分析可知，政府支持对区域物流业绿色创新能力的提升有很大影响，因此政府应加强宏观调控，完善相应政策法规。具体措施如下。

第一，政府应引导区域内的物流企业突破当前的传统模式，对已有资源进行改造重组，改变目前“散、乱、小”的状态，推动物流业规模化、集约化、科技化和绿色创新化发展。第二，支持物流企业相互合作、兼并重组等，构建具有强大的核心竞争力、先进技术和业务突出的现代物流体系。第三，促进物流业向产业上下游延伸，推进物流业和其他产业融合发展，整合资源，形成联动发展势态。第四，充分发挥邮政的网络、信息和

服务优势，深入推动邮政与电子商务企业的战略合作，发展电商小包等新型邮政业务；进一步完善邮政基础设施网络，鼓励各地邮政企业因地制宜地发展农村邮政物流服务，推动农资下乡和农产品进城。第五，为保证物流业绿色创新能力的提升，需要完善相应的政策法规，建立区域物流协同管理政策体系，对区域物流行业进行管理和规划；充分调动当地高校、科研机构积极性，形成产学研合作关系，建立规范的绿色物流标准和创新标准，畅通物流发展的道路，对违反标准的行为进行相应的处罚，鼓励新能源车辆和环保包装的使用，鼓励企业改进作业工艺，做好废弃物回收工作，发展逆向物流。政府和公民应对物流企业做到正确认识和合理界定，对物流企业的模糊管理不利于其健康发展，应理顺物流法律法规体系构建的逻辑脉络，将不同层次、不同类型的法律法规有机结合，同时法律法规还应与市场体系相适应，与物流行业相契合。

10.2　优化投入资源配置，持续升级产业结构

通过第 9 章对影响因素的分析可知，物流业的产业结构对区域物流业绿色创新能力有很大影响，因此企业应优化投入资源配置，持续升级产业结构。

我国经济进入高质量增长阶段，经济总量提升的基础因素是产业结构的演变和升级。物流业进入需要以结构变迁来支撑总量扩张的阶段，各类投入资源的有效配置是提高区域物流业绿色创新能力时必须考虑的因素。第一，节约物流成本，减少冗余物流环节。在物流成本上，运输成本大于仓储和存货成本，管理费用所占比例最小，所以在资源整合优化上，应整合基础运输和基础设施，改变目前的零散状态，走向规范化运营。第二，减少区域物流能力过剩。稳步推进运输结构调整，因地制宜，通过市场化手段调节不同运输方式，除公路外，提升铁路运输在大宗货物和长途运输方面的比重，发展多式联运，提高运输效率。在物流业其他流程中，对区域物流业各项投入资源进行优化配置，提升物流投入效率，对物流资源的投入量进行严格管控，制定相应的政策法规，打破企业间的壁垒，实现设备共享。第三，建立监督监管机制。严格监管企业逾规、浪费资源的行

为，形成政府、媒体和消费者“三管齐下”的监督体系。第四，打造产业链。在微观层面，企业应深度挖掘和拓展企业合作，抓住需求结构变化的机遇，形成产业链或产业集群以应对内需市场。

10.3 提升企业创新能力，加快绿色转型步伐

第8章研究结果显示，2010—2019年，绿色创新能力保持排名靠前的省份有广东、江苏、上海、山东等。这些省份大多位于沿海地区，物流业较为发达，产业结构较为完善，企业聚集程度高。西部地区的大多数省份物流业不发达。解决区域之间不平衡问题成为提升整体物流业绿色创新能力的关键所在。第一，企业应自主创新。自主创新是企业的生命，是企业爬坡过坎、发展壮大的根本，对打破地域和政策壁垒、实现均衡发展起到重要作用。企业应利用现代科技力量，打造“互联网+高效物流”模式，构建物流信息互联共享的体系。第二，加强物流业绿色创新体系建设。针对物流业，成立动力电池、环保包装的创新中心，机器人技术等一批国家工程研究中心和实验室。第三，推动重点领域创新突破。鼓励和支持龙头企业研发创新，推广5G通信、语音识别和新能源汽车等应用。第四，促进科技创新成果应用。实施新一轮重大技术改造升级工程，引导企业运用新技术、新业态、新模式，加快技术进步和设备更新，向智能、绿色、高端制造转型升级。第五，优化创新创业政策环境。完善和落实企业创新政策，加快推进“双创”平台建设，引导企业加大创新投入，促进创新要素向企业集聚。

影响气候变化的主要原因是西方200多年的工业化进程。其中，石油、煤炭等原料排放了大量的二氧化碳。为应对气候变化，我国在第75届联合国大会上提出：努力争取2060年前实现碳中和，即生产生活中排放的二氧化碳与植树造林等各种节能减排的措施相抵消。物流业要想真正实现企业绿色化转型发展，就要从根本上改变传统发展理念和模式。2019年，我国针对物流企业实行减税降费的政策，在增值税、普惠税和车辆购置税等方面做了减负工作。这一做法不仅可以助力物流企业提质增效，还让企业主动投身科技创新，并思考如何进一步提高企业核心竞争力。时丰运通、运

满满、苏宁物流、菜鸟物流、百世快递等物流企业提出半自动分拣流水线，利用互联网平台实现“车货”配比、无人驾驶、区块链，制定行业标准，推广环保快递袋，使用绿色材料等方案，为物流行业的绿色创新发展提供了新思路，发挥了引导作用。企业要转型升级，创新和环保应相辅相成。第一，注重对传统技术的升级改造。运用高新技术对传统技术进行迭代升级，运用新工艺、新技术等对物流环节进行改造升级，做到过程创新、模式创新和管理创新。第二，通过倒逼作用规范约束企业行为。针对不同物流企业的资源消耗和环保情况，实施有差别的规制方法和阶梯制度等，激发企业绿色转型。第三，实施奖励措施。绿色转型先进企业应得到一定的奖励，树立标杆模式，带领其他企业共同绿色转型。运用绿色运营、产业绿色重组，再加上政府的绿色监管政策，实现经济发展和能源节约协调发展。

10.4 革新区域物流技术，培养领域专业人才

物流业的创新人才对提升区域物流业绿色创新能力有很大影响，因此应当革新区域物流技术，培养领域专业人才，实现绿色创新技术的提升和进步。目前，物流市场互联网技术蓬勃发展，物流装备行业革新速度加快，服务能力提高。物联网技术的出现和普及为传统物流行业与智能化系统运行管理的结合提供了技术保障，使物流业走上智能化、自动化和系统化之路，同时智慧物流的发展促进了区域经济发展和资源最优配置。物流流程优化、预测、决策支持、建模和仿真等方面使用的自动识别技术、数据挖掘技术、人工智能技术、GIS技术等，使物流企业的决策更加准确和科学。借智能物流的东风，我国物流企业信息化将再上新台阶。

本书在研究过程中发现，东部沿海地区人才聚集程度较高，西部地区的西藏、青海等省份创新人员数量最少。研究结果表明，东部沿海地区物流业绿色创新能力较强。第5章对区域物流业影响因素分析后发现，因创新人才对区域物流业绿色创新能力的提高有一定影响，所以人才的培养和聚集对区域物流业的发展具有积极作用。创新是引领发展的第一动力，创新驱动实际上是人才驱动。在物流业急剧发展的同时，我国劳动力人口的

下降导致人才供给不足，这在很大程度上制约了物流业的发展速度和发展质量，我国物流专业人才缺口巨大。我国在物流领域的人才培养起步较晚，人才呈现“少、散、差”的分布格局。相对于传统的物流从业者，智慧物流更需要科技人才的支撑，只有培养足够的物流人才，智慧物流才会达到预期的发展水平。物流业务的发展要求员工不仅要熟悉物流运营流程，还要具备数据处理、信息系统使用和运营等技能。在新的时代背景下，第一，要加大人力资本开发力度。培养新型人才，建立职业资格认证制度，针对此行业推行物流师、采购师等资格证书制度，提高人才质量；搭建校企联合培养平台，用理论知识解决实际工作中的问题；提高人才福利待遇，留住人才。第二，解决东西部人才分布不均问题。目前，东部地区就业的薪酬是西部较偏远地区的 3 倍，东部地区就业机会也较多，造成东部地区人才聚集而西部地区人才较少的现象。党的十八大报告提出“提高劳动报酬在初次分配中的比重”，这成为缩小区域劳动报酬差距的具体方法，意味着政府亟须加大对区域物流业的宏观调控力度，加大对西部地区的投资力度，通过提供就业岗位和补助吸引人才返乡就业，促进人才均衡分布并提高人才队伍整体建设水平，共同致力于物流业的发展壮大。

参考文献

[1]刘晔,单明威,董战峰. 实施电商行业绿色供应链管理助推绿色消费升级[J]. 环境保护,2019,47(12):36 -40.

[2]丁俊发. 改革开放40年中国物流业发展与展望[J]. 中国流通经济,2018,32(4):3 -17.

[3]THOMAS J MURPHY. Editorial the U. S. EPA and science in the great Lakes[J]. Journal of great lakes research,1996,22(1):1 -4.

[4]WU H,DUNN S C. Environmentally responsible logistics systems[J]. International journal of physical distribution & logistics management,1995(2): 20 -38.

[5]谢泗薪,王文峰. 绿色物流路径:物流绿色化改造的战略选择[J]. 中国流通经济,2010,24(5):15 -18.

[6]SCHIEDERIG T , TIETZE F , HERSTATT C. Green innovation in technology and innovation management:an exploratory literature review[J]. R & D management, 2012, 42(2):180 -192.

[7]戴鸿轶,柳卸林. 对环境创新研究的一些评论[J]. 科学学研究, 2009,27(11):1601 -1610.

[8]EMRAH KARAKAYA, ANTONIO HIDALGO, CALL NUUR. Diffusion of eco - innovations: a review[J]. Renewable and sustainable energy reviews, 2014(1):392 -399.

[9]BEISE M,RENNINGS K . Lead markets and regulation: a framework for analyzing the international diffusion of environmental innovations[J]. Ecologi-

cal economics, 2005, 52(1):5－17.

[10]HUBER J. Pioneer countries and the global diffusion of environmental innovations: theses from the viewpoint of ecological modernisation theory[J]. Global environmental change, 2008, 18(3):360－367.

[11]FREEMAN C. The greening of technology and models of innovation[J]. Technological forecasting & social change, 1996, 53(1):27－39.

[12] CHEN Y S , LAI S B , WEN C T. The influence of green innovation performance on corporate advantage in Taiwan[J]. Journal of business ethics, 2006,67(4):331－339.

[13]杨发明,许庆瑞. 企业绿色技术创新研究[J]. 中国软科学,1998(3):3－5.

[14]王晓光. 企业绿色技术创新研究[J]. 生产力研究,1997(3):65－67.

[15]梁巧转,杨喜明. 科技竞争力、高新技术开发及引进与环境污染治理[J]. 科技与管理,2001(4):70－72.

[16]吕燕,王伟强,许庆瑞. 绿色技术创新:21世纪企业发展的机遇与挑战[J]. 科学管理研究,1994(6):10－14.

[17]王伟强,盛敏之. 中国企业绿色技术创新实证研究[J]. 科学管理研究,1995(3):48－53.

[18]张钢,张小军. 绿色创新研究的几个基本问题[J]. 中国科技论坛,2013(4):12－15,20.

[19]陈华斌. 试论绿色创新及其激励机制[J]. 软科学,1999(3):3－5.

[20]王正刚,向刚,屈晓娟,等. 基于产品生命周期的绿色创新模式探讨[J]. 全国商情(经济理论研究),2008(14):23－25.

[21]刘丹. 物流企业服务创新特性及类型[J]. 中国流通经济,2013(5):30－36.

[22]王玉. 物流设备的绿色创新发展[J]. 物流技术与应用,2016,21(6):74－76,78.

[23]王肖芳. 我国绿色物流创新生态系统构建[J]. 商业经济研究, 2017(20):90-92.

[24]丁瑞,洪琼,庄思思. 基于FAHP的物流企业绿色创新行为影响因素研究[J]. 物流科技, 2020,43(3):21-24.

[25]张晓玲. 可持续发展理论:概念演变、维度与展望[J]. 中国科学院院刊,2018,33(1):10-19.

[26]COSTABZA R. Ecological economics: the science and management of sustainability[M]. New York:Columbia university Press,1991.

[27]SPANGENBERG J H. Sustainability science: a review,an analysis and some empirical lessons[J]. Environmental conservation, 2011,38(3):275-287.

[28]王学义,郑昊. 工业资本主义、生态经济学、全球环境治理与生态民主协商制度:西方生态文明最新思想理论述评[J]. 中国人口·资源与环境,2013,23(9):137-142.

[29]MARCO P V,FRANCO. Searching for a scientific paradigm in ecological economics: the history of ecological economic thought, 1880s-1930s [J]. Ecological Economics,2018(153):195-205.

[30]赵松岭. 让物流业搭上绿色生态的快车[J]. 人民论坛, 2018(11):78-79.

[31]彭绪庶. 构建循环经济学学科体系初探[J]. 生态经济,2017,33(10):38-42,57.

[32]GEISSDOERFER M,SAVACET P, BOCKEN N,et al. The circular economy:a new sustainability paradigm? [J]. Clean. Prod., 2017(143):757-768.

[33]王军华,张和平. 新产业造就绿色新企业[N]. 河北经济日报, 2007-06-22(001).

[34]周长春,谢红彬,高玲. 工业绿色化:一个新的工业发展方向[J]. 福建师范大学学报(自然科学版),2005(3):110-115.

[35]刘红明. 工业绿色化的内涵及影响因素分析[J]. 现代经济探讨, 2008(11):54-57.

[36]钟茂初．产业绿色化内涵及其发展误区的理论阐释[J]．中国地质大学学报(社会科学版),2015,15(3):1－8.

[37]卜华白,卜时珍．低碳经济背景下企业实施绿色化生产的经济绩效研究[J]．生态经济,2011(3):79－82,89.

[38]魏锋．论绿色经济与可持续发展[J]．经济问题探索,2001(1):42－44.

[39]王旭,秦书生,王宽．企业绿色技术创新驱动绿色发展探析[J]．技术经济与管理研究,2014(8):26－29.

[40]井绍平,陶宇红,田泽永．消费者品牌转换驱动因素研究:基于绿色营销视角[J]．商业经济与管理,2008(4):50－54.

[41]马维晨,邓徐．我国绿色消费的政策措施研究[J]．环境保护,2017,45(6):56－59.

[42] DECI E L,RYAN R M. Self－determination theory: a macrotheory of human motivation, development, and health [J]. Can. Psychol. ,2008(49):182－183.

[43]FISHBEIN M. An investigation of the relationships between beliefs about an object and the attitude toward that object[J]. Human relations, 1963(16):233－240.

[44]李巧华．生产型企业绿色创新:影响因素及绩效相关[D]．成都:西南财经大学,2014.

[45]COLICCHIA C , MARCHER G , MELACINI M , et al. Building environmental sustainability: empirical evidence from logistics service providers [J]. Journal of cleaner production, 2013, 59(15):197－209.

[46]RAVI BAPNA, LAKSHMAN S THAKUR, SURESH K NAIR. Infrastructure development for conversion to environmentally friendly fuel [J]. European journal of operational research, 2002,142(3):480－496.

[47]P. MURPHY, R POIST. Greenpers pectives and practices: a comparative logistics study[J]. Supply chain manage,2003,8(2):122－131.

[48]AVSR, BMP, ARM, et al. The longer and heavier vehicle debate: a

review of empirical evidence from Germany[J]. Transportation research part D: transport and environment, 2015(40):114 - 131.

[49]PAMUCAR D , GIGOVIC L , CIROVIC G , et al. Transport spatial model for the definition of green routes for city logistics centers[J]. Environmental impact assessment review, 2016(56):72 - 87.

[50]S - T KIM. Measuring environmental practices [J]. Shipping logist, 2011,27(2):237 - 258.

[51]朱庆华,赵清华. 绿色供应链管理及其绩效评价研究述评[J]. 科研管理,2005(4):93 - 98.

[52] OKSANA SEROKA - STOLKA. Green initiatives in environmental management of logistics companies[J]. Transportation research procedia, 2016(16):483 - 489.

[53]ZHENG HUI LI, GAO KELIAO, ZHEN ZHENWANG. Green loan and subsidy for promoting clean production innovation[J]. Cleaner production, 2018, 187(20):421 - 431.

[54]EVANGELISTA P. Environmental sustainability practices in the transport and logistics service industry: an exploratory case study investigation [J]. Res transport bus manag, 2014(12):63 - 72.

[55]叶飞,张婕,张志利. 企业内部利益相关者、资源承诺与绿色供应链管理绩效关系[J]. 工业工程,2009,12(6):11 - 18.

[56]孙巍文. 社会媒体环境下公众舆论对企业行为的影响研究[D]. 上海:华东理工大学,2013.

[57]刘和东,石岿然. 循环经济下绿色物流的影响因素分析[J]. 生产力研究,2007(22):66 - 67.

[58]FRONDEL M, HORBACH J, RENNINGS K. End - of - pipe or cleaner production? An empirical comparison of environmental innovation decision across OECD countries [J]. Businessstrategy and the environment, 2007, 16(8): 571 - 584.

[59]DEMIREIP, KESIDOU E. Stimulating different types of eco - innova-

tion in the UK: government policies and firm motivations[J]. Ecological economics,2011,70(8):1546 – 1557.

[60]YONG ZHANG, RUSSELL G THOMPSON, XIANGTAI BAO, et al. Analyzing the promoting factors for adopting green logistics practices: a case study of road freight industry in Nanjing,China[J]. Social and behavioral sciences, 2014(125) :432 – 444.

[61]J E BAZ, I LAGUIR. Third – party logistics providers (TPLs) and environmental sustainability practices in developing countries: the case of Morocco [J]. Oper. Prod. Manag,2017,37(10):1451 – 1474.

[62]朱庆华,耿勇. 基于统计分析的中国制造业绿色供应链管理动力研究[J]. 管理学报,2009,6(8):1029 – 1034.

[63]FREEMANR E. Strategic management: a stake holder approach [M]. Cambridge university press, 1984.

[64]张宝友,达庆利,黄祖庆. 中国上市物流公司动态绩效评价及对策:DEA 分析法[J]. 系统工程,2008,26(4):6 – 10.

[65]ANAND G,WARD T. Fit, flexibility and performance in manufacturing: coping with dynamic environments[J]. Production & operations management,2004, 13(4):369 – 385.

[66]PAGELL M, KRAUSE D R. Re – exploring the relationship between flexibility and the external environment[J]. Journal of operations management, 2004, 22(6):629 – 649.

[67]ZHAO X,HUO B,SELEN W,et al. The impact of internal integration and relationship commitment on external integration[J]. Journal of operations management,2011, 1 – 2(29):17 – 32.

[68]ZHU Q, SARKIS J, LAI K H. Green supply chain management: pressures, practices and performance within the Chinese automobile industry[J]. Journal of cleaner production,2008, 15(11/12):1041 – 1052.

[69]LAARI S , TYLI J , OJALA L . The effect of a competitive strategy and green supply chain management on the financial and environmental perform-

ance of logistics service providers[J]. Business strategy and the environment, 2018, 27(7):872 - 883.

[70]S Y LEE, S K RHEE. The change in corporate environmental strategies: a longitudinal empirical study [J]. Management decision, 2007, 45(2): 196 - 216.

[71]HORBACH J , RAMMER C , RENNINGS K . Determinants of eco - innovations by type of environmental impact: the role of regulatory push/pull, technology push and market pull[J]. Zew discussion papers, 2012, 78(32): 112 - 122.

[72]HART S L. A natural - resource - based view of the firm[J]. Academy of management review, 1995, 20(4):986 - 1014.

[73]CHARAN RAJ BHATTARAI, CALEB C Y KWONG, MISAGHTASAVORI. Market orientation, market disruptiveness capability and social enterprise performance: an empirical study from the united kingdom[J]. Journal of business research, 2019(96):47 - 60.

[74]张小军. 企业绿色创新战略的驱动因素及绩效影响研究[D]. 杭州:浙江大学,2012.

[75]李怡娜,叶飞. 制度压力、绿色环保创新实践与企业绩效关系[J]. 科学学研究,2011,29(12): 1884 - 1894.

[76]JACOBS B W, SINGHAL V R, SUBRANAMIAN R. An empirical investigation of environmental performance and the market value of the firm[J]. Journal of operations management, 2010, 28(5):430 - 441.

[77]PORTER M E , LINDE C V D . Green and competitive: ending the stalemate[J]. Harvard business review, 1999, 28(6):128 - 129.

[78]张钢,张小军. 国外绿色创新研究脉络梳理与展望[J]. 外国经济与管理,2011,33(8):25 - 32.

[79]IZTOKPALČIČ, JASNA PRESTER. Impact of advanced manufacturing technologies on green innovation, 2020, 12(8).

[80] Y Z A , XUE Z A , W J B , et al. Does second - order social capital

matter to green innovation? the moderating role of governance ambidexterity[J]. Sustainable production and consumption, 2021(25):271－284.

[81]童昕,陈天鸣. 全球环境管制与绿色创新扩散:深圳、东莞电子制造企业调查[J]. 中国软科学,2007(9):69－76.

[82]李婉红,毕克新,曹霞. 环境规制工具对制造企业绿色技术创新的影响:以造纸及纸制品企业为例[J]. 系统工程,2013,31(10):112－122.

[83]何凌云,梁宵,杨晓蕾,等. 绿色信贷能促进环保企业技术创新吗[J]. 金融经济学研究,2019,34(5):109－121.

[84]杨朝均,刘冰,毕克新. 政府管制下内外资企业绿色创新扩散的演化博弈研究[J]. 软科学,2019,33(12):86－91.

[85]吕洪燕,乔朋华. 中国工业绿色创新效率地区差异及其驱动因素分析[J]. 华东经济管理,2020,34(1):28－36.

[86]曾江洪,刘诗绮,李佳威. 多元驱动的绿色创新对企业经济绩效的影响研究[J]. 工业技术经济,2020,39(1):13－22.

[87]张小筠,刘戒骄,李斌. 环境规制、技术创新与制造业绿色发展[J/OL]. 广东财经大学学报,2020(5):48－57.

[88] JUMADI H , ZAILANI S . Integrating green innovations in logistics services towards logistics services sustainability: a conceptual paper[J]. Environmental research journal, 2010, 4(4):261－271.

[89] F CHANG, FAN L . Research on effects of policy－intangible resources promoting green logistics[J]. Science and technology management research, 2011,31(2):46－49.

[90]王桑,程云鹤. 长江经济带物流业绿色绩效测度及其影响因素分析[J]. 黑龙江工业学院学报(综合版),2018,18(8):87－92.

[91]远亚丽,唐卫宁. 低碳视角下物流产业集群服务创新能力提升的结构方程模型分析[J]. 企业经济,2013,32(6):21－25.

[92]戴钱佳. 异质性环境规制对物流业绿色全要素生产率的影响研究:基于技术创新的中介效应分析[J]. 重庆文理学院学报(社会科学版),2020,39(6):63－74.

[93]QING G,GUIRONG Z . The green packaging management for the logistics enterprises [C] . International conference on information management, IEEE, 2012.

[94]金国斌. 论现代物流包装的作用及推动其发展的因素[J]. 浙江科技学院学报, 2010(6):501 – 506.

[95]LIN C Y , HO Y H . An empirical study on logistics service providers' intention to adopt green innovations[J]. Journal of technology management & innovation, 2008, 3(1):17 – 26.

[96]ZAILANIS, AMRAN A , JUMADI H . Green innovation adoption among logistics service providers in malaysia: an exploratory study on the managers perceptions[J]. International business management, 2011,5(3):104 – 113.

[97]TIAN X , WANG C , LI X , et al. The relationship among social capital, service types and service innovation performance in logistics enterprises[J]. American journal of industrial & business management, 2016,6(8):900 – 913.

[98]于丽静,陈忠全. 基于演化博弈的物流企业绿色创新扩散机制研究[J]. 运筹与管理,2018,27(12):193 – 199.

[99]SHI Y , NAN Z A , BL B . Enhancing the competitiveness of multi – agent cooperation for green manufacturing in China: an empirical study of the measure of green technology innovation capabilities and their influencing factors[J]. Sustainable production and consumption, 2020(23):63 – 76.

[100]谢琨,庞凤娇,陈高敏,等. 我国钢铁企业绿色技术创新绩效评价研究[J]. 价格理论与实践,2019(9):153 – 156.

[101] WANG C , LI J . The evaluation and promotion path of green innovation performance in chinese pollution – intensive industry[J]. Sustainability, 2020(12).

[102]王彩明,李健. 中国区域绿色创新绩效评价及其时空差异分析:基于2005—2015年的省际工业企业面板数据[J]. 科研管理,2019,40(6):29 – 42.

[103]张雪梅,叶贝贝. 行业异质性视角下我国工业生态创新效率评价

[J]. 生态学报,2019,39(14):5198 – 5207.

[104]柏明国,张云,付应露,等. 创新价值链视角下钢铁企业绿色技术创新效率研究[J]. 安徽工业大学学报(社会科学版),2019,36(5):13 – 16.

[105]赵立雨,苗思佳,吴婷. 基于 DEA – BCC 与 Malmquist 的陕西省制造业绿色技术创新效率评价[J]. 未来与发展,2020,44(8):107 – 112.

[106]董鹏. 物流企业低碳发展的物流绩效评价指标构建与应用[J]. 鄂州大学学报,2020,27(3):51 – 53.

[107]杨依如,蒋婷婷. 低碳经济视角下物流企业绩效评价体系设计:基于绩效棱柱及层次分析的综合方法[J]. 会计之友,2013(24):31 – 34.

[108]周培. 绿色视角下冷链物流企业绩效评价指标体系分析[J]. 商场现代化, 2019(9):18 – 19.

[109]戴恩勇,邹安全,杨慧,等. 循环物流绩效评价模型构建及应用[J]. 物流技术,2014,33(13):268 – 270.

[110]刘喜梅,许媛媛. 复杂科学思维下第三方物流企业智慧绿色低碳化评价指标体系构建[J]. 华北电力大学学报(社会科学版),2020(1):35 – 41.

[111]HUIZHEY, LIHUA M , FANGFANG S . Evaluation of sustainable development ability for logistics enterprises based on unascertained measure[J]. Procedia engineering, 2011(15):4757 – 4762.

[112]王蕊. 物流企业创新型科技人才评价指标体系构建[J]. 物流技术,2012,31(13):259 – 261.

[113]李守林,赵瑞,陈丽华. 基于灰色关联分析和 TOPSIS 的物流企业创新绩效评价[J]. 工业技术经济,2018,37(4):12 – 21.

[114]杜红艳. 物流企业创新绩效评价模型构建与运用[J]. 统计与决策,2017(19):181 – 184.

[115]张池弛. 基于混合模式的物流企业绩效评价体系设计[J]. 财会通讯,2015(35):54 – 55.

[116]刘艳,孙捷,江深. 过程论视角下物流业创新驱动模型构建与能力评价[J]. 商业经济研究,2020(16):106 – 109.

[117]李菽林. 基于支持向量机的物流企业绿色创新能力评价[J]. 系统工程, 2013(2):104 -109.

[118]JORGENSON D J , WILCOXENP J. Environmental regulations and U. S. economic growth[J]. The journal of economics,1990,21(2):313 -340.

[119]LEE J , VELOSO F M , HOUNSHELL D A . Linking induced technological change, and environmental regulation: evidence from patenting in the U. S. auto industry[J]. Research policy, 2011, 40(9):1240 -1252.

[120]LUNDGREN R B . Environmental policy and profitability: evidence from Swedish industry[J]. Environmental economics&policy studies, 2010, 12(1/2):59 -78.

[121]ZUGRAVU N , KHEDER S B . The pollution haven hypothesis: a geographic economy model in a comparative study[J]. Social science electronic publishing, 2008(73).

[122]LUNDGREN T , OLSSON R . Environmental incidents and firm value - international evidence using a multifactor event study framework[J]. Applied financial economics, 2010, 20(16/17/18):1293 -1307.

[123]马海良,黄德春,姚惠泽. 技术创新、产业绩效与环境规制:基于长三角的实证分析[J]. 软科学,2012(1): 1 -5.

[124]侯伟丽,方浪. 环境管制对中国污染密集型行业企业竞争力影响的实证研究[J]. 中国人口·资源与环境,2012,22(7): 67 -72.

[125]罗素清. 环境管制对企业绩效的影响:基于中国地级市数据的研究[J]. 财会月刊,2016(29):32 -37.

[126]PEIJIN. Therelationship between resource and environmental regulation and industrial competitiveness[J]. China economist,2009(4):37 -45.

[127]彭海珍,任荣明. 中小企业实施环境管理体系的激励因素和障碍[J]. 上海管理科学,2003(1):27 -28.

[128]PORTER M E , LINDE C . Toward a new conception of the environment:competitiveness relationship[J]. Journal of economic perspectives, 1995, 9(4):97 -118.

[129]谢孟希,陈玲. 运动式治理降低环境信息公开质量?——实证依据与理论解释[J]. 公共管理评论,2021,3(2):86-104.

[130]HUANG SHAOWEI,CHANG TSENYAO. Social image impacting attitudes of middle-aged and elderly people toward the usage of walking aids: an empirical investigation in Taiwan[J]. Healthcare, 2020,8(4):543.

[131]王萱. 思想政治教育社会形象探析[J]. 中学政治教学参考,2021(28):5-8.

[132]秦文展. 城市物流系统实行绿色化运作的对策探讨[J]. 中外企业家,2012(11):42-43.

[133]魏倩. 我国绿色物流的发展演进、存在的问题及对策研究[D]. 重庆:重庆交通大学,2014.

[134]朱敏龄. 基于产业组织优化的贵州省物流业绿色发展研究[D]. 贵阳:贵州财经大学,2017.

[135]单虹. 绿色物流系统的构建[J]. 商场现代化,2009(7):144-145.

[136]邱杰. 基于利益相关者理论的物流企业绿色创新绩效影响机理研究[D]. 武汉:武汉理工大学,2019.

[137]秦文展. 浅谈城市物流运输绿色化的途径与方法[J]. 沿海企业与科技,2012(6):15-17.

[138]洪洁,向刚. 试析企业绿色持续创新的实现机制[J]. 昆明理工大学学报(社会科学版),2001(2):24-27.

[139]戴锦. 市场结构的生态化取向[J]. 商业研究,2005(13):89-92.

[140]张晖明. 细化研究不同产品结构和市场结构中的企业行为,推进价格改革[J]. 上海经济研究,1987(2):23-25.

[141]林风霞. 构建中国绿色商业发展的多元驱动机制[J]. 河南财政税务高等专科学校学报,2007(4):52-54.

[142]罗真,陈正林. 企业绿色物流成本控制途径研究[J]. 财政监督,2011(32):28-30.

[143]魏茂全．生产性企业物流成本管理探析[J]．商场现代化,2007(23):135.

[144]刘庆,郑玮．企业推行绿色物流发展的可行性分析[J]．物流技术,2010,29(20):126－128.

[145]胡峰,张月月,陈力田．传统制造企业与环保企业互动共生中实现绿色升级[J]．华侨大学学报(哲学社会科学版),2016(5):48－56.

[146]朱卫平,刘伟,高志军．生产性物流服务业与制造业的互动研究——以安得物流与美的电器供应链的互动为例[J]．西安电子科技大学学报(社会科学版),2011,21(3):22－30.

[147]彭海珍．影响企业绿色行为的因素分析[J]．暨南学报(哲学社会科学版),2007(2):53－58.

[148]李莉,涂军．第三方物流与产业供应链上各方的竞合关系探析[J]．中国市场,2008(36):84－85.

[149]秦书生,晋晓晓．政府、市场和公众协同促进绿色发展机制构建[A]．中国环境科学学会．2017 中国环境科学学会科学与技术年会论文集(第一卷)[C]．2017:8.

[150]熊伟．绿色供应链管理驱动力及其对实践的影响机制研究[D]．杭州:浙江大学,2015.

[151]王彩明．中国省域绿色创新绩效评价及提升路径研究[D]．天津:天津理工大学,2021.

[152]杨瑾．长三角城市绿色创新效率测度及其影响因素[D]．南京:江苏大学,2020.

[153]邹明星．湖南区域绿色创新效率评价比较研究[D]．长沙:湖南师范大学,2020.

[154]叶金平．我国区域制造业绿色创新能力评价研究[D]．南昌:南昌大学,2020.

[155]许然．高技术产业绿色创新能力的空间分异及影响因素研究[D]．大连:东北财经大学,2019.

[156]葛世帅,曾刚,胡浩,等．长三角城市群绿色创新能力评价及空间

特征[J]. 长江流域资源与环境,2021,30(1):1-10.

[157]赵蕾. 区域绿色物流绩效评价及提升策略研究[D]. 济南:山东理工大学,2020.

[158]王蕾,王赛,祝林. 基于引力模型的"一带一路"沿线省区物流空间差异及演化分析[J]. 石河子大学学报(哲学社会科学版),2021,35(3):72-80.

[159]毕志雯. 低碳约束下我国物流产业技术效率动态评价[D]. 天津:南开大学,2011.

[160]李娟,王琴梅. 我国西部地区物流业发展质量及其影响因素研究:基于物流业效率视角[J]. 北京工业大学学报(社会科学版),2020,20(2):82-89.

[161]孟斌,王劲峰,张文忠,等. 基于空间分析方法的中国区域差异研究[J]. 地理科学,2005(4):11-18.

[162]马飞,胡江艳,孙启鹏,等. 中国省际物流业碳排放绩效测度及驱动因素研究[J]. 生态经济,2021,37(9):27-33,39.

[163]刘莉,刘利民. 宁波市物流业碳排放测度及其影响因素分析[J]. 管理观察,2016(15):39-41.

[164]刘莉,孟庆浩. 基于三阶段 DEA 中部地带物流产业效率测度研究[J]. 重庆理工大学学报(社会科学版),2020,34(11):65-73.

[165]李春林,伍信怡. 基于多重多元线性回归模型的京津冀物流产业发展影响因素分析[J]. 物流科技,2019,42(2):34-37.

[166]秦雯. 区域物流效率评价及影响因素研究:基于广东地市级城市面板数据[J]. 商业经济研究,2021(9):97-100.

[167]俞佳立,钱芝网. 长江经济带物流产业效率的时空演化及其影响因素[J]. 经济地理,2018,38(8):108-115.

[168]曹俊文,周丽. 长三角地区物流业碳排放时空分布及其影响因素研究[J]. 统计与决策,2021,37(10):79-83.

[169]沈绍基. 中国物流产业结构分析[A]. 北京市商业委员会(Commercial Commission of Beijing Municipality). 2000 北京国际物流研讨会论文集

[C]. 2000:3.

[170]郭炳南,卜亚. 人力资本、产业结构与中国碳排放效率:基于 SBM 与 Tobit 模型的实证研究[J]. 当代经济管理,2018,40(6):13-20.

[171]王承云,孙飞翔. 长三角城市创新空间的集聚与溢出效应[J]. 地理研究,2017,36(6):1042-1052.

附录　物流企业绿色行为、动机与绩效的调查问卷

尊敬的女士/先生：

您好！感谢您在百忙之中给予我们学术研究的支持！本次调查主要是了解贵公司在物流运作及管理中实施的绿色行为，什么样的动机会激励你们的绿色行为，以及企业在实施绿色物流行为之后的绩效状况。我们在此保证，本次调查问卷的数据不会做后期处理，也绝不会泄露。本次问卷不记名，请大家根据贵企业的实际状况填写，也非常希望大家向我们提出宝贵的建议。

非常感谢您的配合！谢谢！

一、企业的基本状况

（1）贵企业注册类型为（　　）

A. 国有或国有控股企业　　B. 外商独资企业

C. 中外合资企业　　D. 民营企业

（2）贵企业规模为（　　）

A. 100 人以下　　B. 100 ~ 200 人

C. 201 ~ 500 人　　D. 500 人以上

（3）贵企业运营期为（　　）

A. 1 ~ 5 年　　B. 6 ~ 10 年

C. 超过 10 年

（4）贵企业的性质是（　　）

A. 货运企业　　B. 仓储企业

C. 储运企业　　D. 快递、配送企业

E. 综合物流公司

（5）贵企业服务主要面对的行业有（　　）（可多选）

A. 家电、电子行业　　B. 食品行业

C. 化工行业　　D. 烟草行业

E. 医药行业　　F. 农产品行业

G. 汽车行业　　H. 图书行业

I. 机械行业　　J. 日常生活用品行业

K. 其他

（6）贵公司主要采用的运输方式有（　　）（可多选）

A. 公路　　B. 铁路

C. 水运　　D. 航空

E. 多式联运

（7）贵企业所处区域为（　　）

A. 东部地区　　B. 中部地区

C. 西部地区

（8）贵物流企业所处的地理位置为（　　）

A. 中心城市　　B. 一般城市

C. 郊区　　D. 农村

（9）贵企业所在地政府的环境管制能力（　　）

A. 很强　　B. 较强

C. 一般　　D. 较弱

E. 很弱

二、请根据贵企业的实际情况选择相应的选项

①~⑤分别表示该动机对贵企业绿色行为产生的影响程度：①表示完全不影响；②表示没有影响；③表示有较小影响；④表示有影响；⑤表示影响显著。请在相应的选项处打“√”。

题号	绿色行为动机	请选择相应数字				
		完全不影响→影响显著				
	一、外部监督					
1	按照我国的环境法律与监管要求，我们必须遵守相应的环境法规	①	②	③	④	⑤
2	地方与行业相关行政部门的政策法规促使我们建立绿色物流管理体系	①	②	③	④	⑤
3	地方政府提供绿色补贴及税收减免，企业主动回收纸箱等包装物	①	②	③	④	⑤
4	为防止废弃包装物过多被市民投诉，改进废物处理系统	①	②	③	④	⑤
	二、提升竞争力					
5	根据供应商等合作伙伴的要求或激励，我们采用环保绿色包装	①	②	③	④	⑤
6	行业竞争者大多建立绿色管理战略	①	②	③	④	⑤
7	为树立企业的绿色环保形象，提高企业的竞争力，积极对环境管理进行认证	①	②	③	④	⑤
8	为发挥资源利用率，愿意提高汽车装载率、循环包装等	①	②	③	④	⑤

三、请根据贵企业的实际情况选择相应的选项

①~⑤分别表示对该绿色行为的实施状况：①表示不考虑实施；②表示正在考虑实施；③表示偶尔有实施；④表示经常实施；⑤表示实施得很成功。请在相应的选项处打"√"。

题号	物流绿色行为	请用数字表示实施状况				
		不考虑实施→实施得非常成功				
	一、绿色包装					
1	使用环保且可重复使用的包装物和容器	①	②	③	④	⑤
2	回收客户使用过的可循环利用的包装物进行重复使用	①	②	③	④	⑤
3	最大程度减少包装用量	①	②	③	④	⑤
4	研发设计可降解的绿色环保包装材料	①	②	③	④	⑤

续表

题号	物流绿色行为	请用数字表示实施状况 不考虑实施→ 实施得非常成功				
二、绿色运输						
5	优化运输路线以减少运营里程	①	②	③	④	⑤
6	合理改变运输方式，采用多式联运等	①	②	③	④	⑤
7	通过驾驶行为和燃料消耗评估确保驾驶员的环保驾驶	①	②	③	④	⑤
8	使用新能源等现代节能汽车	①	②	③	④	⑤
三、内部绿色管理						
9	制定绿色管理战略，建立绿色管理体系	①	②	③	④	⑤
10	开展员工环境保护知识培训	①	②	③	④	⑤
11	积极对环境管理进行认证，如 ISO 14001 等	①	②	③	④	⑤
12	制定鼓励员工改善环境绩效的激励措施	①	②	③	④	⑤
13	实时监控评估企业的环境绩效	①	②	③	④	⑤

四、请根据企业的实际情况选择相应的选项

（1）经济绩效：①～⑤分别表示绿色行为对企业经济绩效的影响程度：①表示下降超过 20%；②表示下降 5%～20%；③表示无明显变化，变化范围为 -5% ～ +5%；④表示增长 5%～20%；⑤表示增长超过 20%。请在相应的选项处打“√”。

经济绩效指标	下降超过 20%	下降 5%～20%	无明显变化，变化范围为 -5% ～ +5%	增长 5%～20%	增长超过 20%
产品及服务的总销售额	①	②	③	④	⑤
市场份额	①	②	③	④	⑤
企业的销售利润	①	②	③	④	⑤

（2）环境绩效：①～⑤分别表示绿色行为对企业环境绩效的影响程

度：①表示完全没影响；②表示没影响；③表示有较小影响；④表示有影响；⑤表示影响显著。请在相应的选项处打“√”。

题号	环境绩效	请用分数表达以下指标的状况				
		完全没影响→影响显著				
1	减少企业的能源消耗	①	②	③	④	⑤
2	减少“三废”的排放	①	②	③	④	⑤
3	减少车辆的行驶里程	①	②	③	④	⑤
4	更多包装物得到回收和循环使用	①	②	③	④	⑤
5	客户满意度得到提高	①	②	③	④	⑤
6	企业的公众绿色认同度得到提高	①	②	③	④	⑤

索　引

后 记

本书受到河南理工大学“河南省普通高等学校人文社会科学重点研究基地（能源经济研究中心）”和“河南省重点学科（工商管理）”的资助。同时，本书是教育部人文社会科学研究项目“我国发展低碳经济的路径选择与政策设计”（批准号：10YJC790002）的研究成果，也是河南理工大学人文社会科学研究基金项目（研究和阐释党的十九大精神专项）“我国共享物流发展的机制、战略框架及政策研究”的阶段性成果（批准号：SJDZXZD－02）。首先，感谢河南理工大学相关研究项目和基地的资助。其次，感谢相关职能部门、企业和科研单位的支持，包括焦作市统计局等单位。感谢河南理工大学工商管理学院的领导和同事，他们不仅为本书提供了必要的资金支持，同时给予充足的时间，使我能够比较圆满地完成研究任务。再次，感谢我的家人，特别要感谢既是爱人也是同事的吕小师先生。他们是我完成书稿写作工作的强大后盾。最后，本书在撰写过程中参考了大量的文献、资料和数据，在此向这些文献、资料的作者表示感谢。

学海无涯。本书虽然即将出版，但关于物流企业绿色发展的研究还有待进行深入探索和研究。由于水平有限，书中如有疏漏或错误，恳请读者批评赐教。

本书主要由吴玉萍、赵青莉、许梦琪写作完成，具体写作分工如下：第 1 章由吴玉萍、许梦琪完成；第 2 章由许梦琪、赵青莉、常桂林完成；第 3 章由许梦琪完成；第 4 章至第 6 章由赵青莉完成；第 7 章至第 10 章由许梦琪完成。全书由吴玉萍总纂、定稿。